CW00430414

Super ET

Dello stesso autore nel catalogo Einaudi
La parrucca di Mozart

Lorenzo Jovanotti Cherubini
Gratitude

Einaudi

© 2013 Giulio Einaudi editore s.p.a., Torino

Le fotografie sono state realizzate da:
Giovanni Stefano Ghidini: pp. 4, 9, 42, 93, 124 e 179
Toni Thorimbert: p. 19
Lorenzo Cherubini: pp. 23, 89, 110 e 115
Francesca Valiani: pp. 29, 47, 69, 98, 113 e 131
Richard Phibbs: p. 57
Fabio Nosotti: p. 63
Pierpaolo Ferrari: p. 151
Michele Lugaresi: p. 173

La casa editrice, esperite le pratiche per acquisire tutti i diritti relativi al corredo iconografico della presente opera, rimane a disposizione di quanti avessero comunque a vantare ragioni in proposito.

Le citazioni sono tratte da:
Beastie Boys, *Gratitude*, nell'album *Check Your Head*, 1992: p. 3
Gabriel García Márquez, *Vivere per raccontarla*, Mondadori, Milano 2002: p. 3
Jean-Marie-Gustave Le Clézio, *L'africano*, Instar libri, Torino 2007: p. 26
Leonard Cohen, *Il libro del desiderio*, Mondadori, Milano 2007: p. 31
Kurt Vonnegut, *Il grande tiratore*, Bompiani, Milano 1984: p. 71
Edoardo Sanguineti, *Mikrokosmos. Poesie 1951-2004*, Feltrinelli, Milano 2004: p. 74
Giovanni Papini, *Marcia del coraggio*, Spes-Salimbeni, Firenze 1980: p. 82
José Saramago, *Viaggio in Portogallo*, Feltrinelli, Milano 2011: p. 147
Ray Bradbury, *Troppo lontani dalle stelle*, Mondadori, Milano 2008: p. 158

Una prima versione di *Gratitude* è stata pubblicata nel novembre 2012 da Edizioni Soleluna all'interno del box *Backup 1987-2012*.

www.einaudi.it

ISBN 978-88-06-21834-8

Gratitude

Thanks Mr. Piero Negri, Michele Dalai e Ms. Sandra Piana.

What's Gonna Set You Free
Look Inside And You'll See
When You've Got So Much To Say
It's Called Gratitude, And That's Right.

BEASTIE BOYS, *Gratitude*

In un giorno cosí
viene voglia di farsi fotografare.

GABRIEL GARCÍA MÁRQUEZ, *Vivere per raccontarla*

Sono a Riccione, in un residence di fronte al porto turistico. Sono qui per scrivere le mie memorie di 25 anni. A Riccione è iniziato tutto. Non è vero, qui c'è stato uno dei miei inizi, ma era già iniziato tutto prima, forse a Cortona, forse a Roma, forse in una discoteca in Sardegna, a Palinuro, o probabilmente a Milano con Radio Deejay. O forse quando militare di leva uscivo alle sei dalla caserma e mi buttavo in studio a fare pezzi. Oppure è iniziato tutto quando mi sono ritrovato all'inizio degli anni '90 con un rosso in banca che non prometteva nulla di buono e invece di accettare di condurre *Bim bum bam* su Italia 1 andando sul sicuro ho fatto *Una tribú che balla*. O forse è iniziato tutto quando mi sono trovato di fronte all'*Estasi di santa Teresa* del Bernini, da bambino in gita con la scuola e poi ci ho ripensato per giorni, a quell'energia. O quando a 12 anni un mister di pallone mi disse in faccia che non ero tagliato per il calcio, non c'è verso, mi disse, sei una pippa. È iniziato tutto quando ho sentito *Sex Machine* di James Brown nella sua versione live da 12 minuti. O quando nel '94 un volto di donna mi ha cambiato la vita. È iniziato tutto mille volte, non mi ricordo piú quante, in mille posti. Probabilmente è iniziato tutto quando ancora neanche c'ero. Nei desideri non messi bene a fuoco dei miei genitori. Ci sto pensando io a metterli a fuoco per loro, e se possibile anche a spingermi oltre.

La sensazione che mi sale se penso a questi 25 anni di musica è che non è iniziato un bel niente. C'è sempre stato, o è tutto da inventare.

La raccolta *Backup* io non la volevo fare, all'inizio. Volevo prendermi un po' di tempo e poi mettermi su un disco nuovo. Mi guardo indietro controvoglia. Preferisco guardare avanti, finché si può. Non vado pazzo per le retrospettive, i bilanci, la nostalgia, specialmente se si tratta di me. Preferisco partire che tornare. Anche girare in tondo non mi prende bene. È vero che una raccolta andava fatta, e andava fatta ora o mai piú, che poi chissà cosa ne sarà dei cd tra qualche anno, questi dischetti che fanno già un po' bei tempi andati. Quindi facciamola bene e poi però andiamo avanti.

Soffermiamoci giusto il tempo necessario poi via, subito a fare qualcosa di nuovo che il tempo stringe, lui stringe sempre.

Il titolo, *Backup* – perché mi ci vuole sempre un titolo per lavorare a qualcosa – ha dato una ragione al progetto: fare un backup che come tutti i backup serve a liberare spazio per cose nuove salvando il passato in qualche posto da dove potrà sempre essere richiamato nel desktop. È un po' quello che faccio con le cose che ho in casa, ogni tanto le chiudo in cantina, non le butto, le rimuovo. Si dice che rimuovere non sia un bene dal punto di vista della salute della mente, vedremo.

Oggi ho l'età che aveva mio padre quando mi sembrava vecchissimo. Non ho piú vita di lui da archiviare, si dice che un cuore batta piú o meno lo stesso numero di volte per tutti, ma di sicuro ho piú cose da mettere via: piú viaggi, piú fotografie e filmati, piú oggetti, piú dischi, piú film, forse piú libri, certamente piú cappelli, giubbotti e scarpe da basket, magliette, piú magneti sul frigo, piú indirizzi, piú numeri di telefono, piú chilometri, piú abiti da cerimonia, piú luci sparate in faccia, piú parole, piú facce, piú nomi, piú timbri sul passaporto, piú chitarre, piú idee realizzate e piú idee non realizzate, piú gadget inutili. Non piú vita, perché quella avviene sempre in diretta, live, per l'appunto.

Salvo il tempo (passato) per avere piú spazio: voglio fare altre cose e mi serve terra libera per prendere la rincorsa e prepararmi allo scatto.

Scriverò come se preparassi uno spettacolo: non vado a riascoltare i pezzi del repertorio, quindi questo sarà un racconto incompleto e un po' disordinato. Siete avvisati.

Quando preparo uno spettacolo montiamo i pezzi vecchi senza che io ascolti mai come sono nel disco originale. Li risuono a memoria: la cosa piú variabile che c'è.

Mi affido all'inaffidabilità della memoria, nel senso che non c'è nulla di meno oggettivo della memoria personale, che si scolpisce e si modifica sempre alla luce di dove uno si trova nel momento in cui decide di ricordare.

Se penso a questi 25 anni di dischi e di vita e alle vie che ho percorso anche prima che il mio fosse un mestiere vero, non so proprio cosa dire. In certi giorni mi sembra di aver fatto solo cose memorabili, in altri mi pare tutto frutto di un caso che io non ho mai governato neanche per un attimo.

A un certo punto mi sono ritrovato al centro della scena, dove prima di me ci avevo visto i pezzi grossi della musica italiana, e questa cosa non era per niente scontata, ma si sa come vanno certe cose, non si può mai dire che piega prenderà la vita. Certo, ho incontrato tanta gente che per qualche motivo ha creduto in me e ha soffiato il vento a mio favore. Comunque io non mi sono fermato un attimo, e per quanto un sacco di cose mi siano come cadute in testa vorrei dire che la testa ho cercato di infilarla ovunque proprio per aumentare le possibilità che ci cadesse sopra qualcosa.

«No input no output», diceva Joe Strummer. Io la penso proprio cosí, se non metti dentro roba non uscirà nulla. Bisogna avere fame di novità, è una condizione necessaria. E il mio lavoro non consiste nel fare canzoni ma nell'arrivare alle canzoni attraverso il continuo rinnovo di interesse verso le cose della vita. Persone, sentimenti, emozioni, casualità, chiacchiere, cinema, televisione, libri, viaggi, giornali, riviste, blog, scritte sui muri, cartelli stradali, annunci mortuari, mostre d'arte, orari dei treni, lavoro, sport, spiritualità, scienza, tutto è importantissimo per sentirsi immersi nel flusso delle cose e tornare a galla con una canzone tra le mani che sintetizzi quel flusso.

A proposito di Joe Strummer, qualche anno fa entrando nel vecchio Gramercy Hotel di New York, quando era ancora un posto veramente rock'n'roll, lo vidi nella hall, seduto su una poltrona di velluto consumato. Rientravamo da un giro a piedi, uno di quei bei giri a piedi che si fanno a New York, ero con la mia Francesca e me lo

trovai lí, che se ne stava per conto suo. Non potei resistere e mi av-
vicinai e genuflettendomi come se fosse un cardinale gli dissi che lo
ringraziavo per tutto quello che significava per me la sua arte, il suo
modo di fare il musicista. Lui fu molto gentile, si alzò e mi abbracciò
come si fa con un amico anche se non mi aveva mai visto in vita sua.
Mi disse qualcosa di bello, di semplice e profondo che suonava come
«non c'è di che» e ci separammo, lui tornò a sedersi nella sua posa
da monarca del punk e io mi avviai verso la mia ragazza e poi verso
l'ascensore con un bel sorriso stampato in faccia che mi durò per settimane, anzi forse ancora dura.

Ho una certa energia, questo lo so da me, e sono un'antenna come
ce ne sono poche, ma non ho mai dovuto sbrigarmela con cose davvero serie. La mia, lo capisco e non è un vanto, è la generazione che
non ha fatto né la guerra né il dopoguerra, che non ha visto mai una
casa senza un televisore dentro.

A volte capire non serve molto, intendo dire che se sta arrivando
un temporale puoi anche capire i motivi scientifici per cui sta arrivando ma di fatto sta arrivando e bisogna piuttosto capire come com-
portarsi. Io sono un temporale.

Jovanotti è un nome d'arte che può creare imbarazzo passati i 23 anni, e io adesso ne ho 46 quindi sarebbero 23 anni di imbarazzo. Forse sta lí la magia, se c'è una magia, di un viaggio che, nonostante in pochissimi lo avessero previsto, continua.

Quando mi sono dato il nome Jovanotti evidentemente non pensavo a qualcosa che potesse durare nel tempo. L'estate in cui *Gimme five* divenne un successo ci fu un critico che disse che ero di passaggio, e che l'estate dopo nessuno si sarebbe piú ricordato il mio nome: non pensai che avesse torto, perché non era un problema che riguardava me, io ero già da un'altra parte, come poi è sempre successo.

A me è capitato in dote un lato del carattere che, mettendo ceri a tutte le statue di santi che ci sono al mondo, per ora mi ha sempre assistito, ovvero che ho la propensione a credere che non c'è mai stato un periodo migliore, piú stimolante abbondante interessante e valido di ora, precisamente adesso, questo giorno di questo anno di questo decennio di questo secolo di questo millennio, questo... e questo... e questo. Sí, anche il periodo che stiamo vivendo, che sembra essere nero: se mi guardo intorno vedo un mondo che finisce con le conseguenze dolorose di ogni fine ma vedo altrettanto chiaramente un mondo che nasce, tutto da fare, tutto da immaginare, tutto da sviluppare: sarà una grande impresa collettiva, tanto quanto quella che fecero i nostri nonni ricostruendo l'Italia dopo la seconda guerra mondiale. Lo so che la parola «impresa» sembra nascondere un inganno, un'idea di mondo materialista, individualista e vagamente ricattatoria, ma non è cosí. Quando Ariosto all'inizio del suo *Orlando furioso* parla di AUDACI IMPRESE, le donne, i cavalier, l'arme, gli amori, sta parlando a noi gente di oggi tanto quanto ai suoi contemporanei.

Ho iniziato a fare dischi che era ancora tutto analogico, il cd era una grande novità ma a me è sempre sembrato un oggetto dalle gambe corte. Per certe sue caratteristiche che non sto qui a dire il cd è nato morto, il mondo digitale non prevede oggetti. Ultimamente, per esempio, mi sono convertito anche all'ebook che all'inizio mi era strano davanti agli occhi. Già adesso, quando prendo in mano un libro di carta, per quanto si tratti di un oggetto carico di emozione, sento di avere a che fare con qualcosa di simile a un ferro di cavallo o a una di quelle grosse chiavi che aprono i vecchi portoni in legno. Prevedo che tempo qualche anno nessuno comprerà piú i libri di carta abitualmente. Il libro di carta resterà, credo, ma non da solo, e comunque la letteratura ne guadagnerà. Sarà uno tsunami e poi affioreranno isole, come sempre.

Scrivo questo per arrivare al punto, ovvero che l'opera nasce immateriale: una parola, una melodia, un'immagine, sono fatte d'aria.

Nella mia famiglia di origine non ci sono mai stati, che io sappia, musicisti professionisti. Quel Luigi Cherubini non è mio parente neanche alla lontana.

Il fatto che nella mia famiglia non ci siano popstar prima di me non vuole dire molto. Sono convinto di aver ricevuto dal mio babbo qualche passaggio verso un certo esibizionismo mascherato da tutt'altro. Quando il mio babbo ci parlava del Vaticano lo faceva come se lavorasse a un grande spettacolo. Lavorava per la Santa Sede ma era come se lavorasse per gli Universal Studios o per la Pixar.

E comunque se penso a certi miei ragionamenti di bambino è dai tempi dei tempi che mi sento legato a un mondo che è quello del comunicare attraverso una forma d'arte, una qualsiasi.

Mi piaceva molto disegnare, ero portato per il disegno che è l'unica materia dove ho preso un dieci tondo tondo durante la mia carriera scolastica piuttosto mediocre. Il professore delle medie ci fece fare un ritratto a china di Charles Darwin e uno di Pietro Nenni, che all'epoca ignoravo chi fossero, se non che avevano facce interessanti da ritrarre, per via della barba l'uno e del basco e degli occhiali l'altro. Segni caratteristici: una fortuna quando si parla di fare un ritratto.

I ritratti piú difficili sono sempre quelli dei volti senza caratteristiche spiccate, perché si tratta di andare a cercare qualcosa di caratteristico anche se pare che non ci sia.

Con la musica è una faccenda simile, cercare qualcosa di caratteristico in quella zona in cui tutto sembra uguale e cercare di emergere con un pezzo che entro le prime due battute faccia dire: «Eccolo, è lui, alza il volume».

La musica è stata la via piú diretta per esprimere quello sfrigolio che mi sentivo addosso, specialmente il rap, perché se non fosse stato per il rap i dischi non li avrei mai fatti. Il rap è stata la grande novità della musica mondiale. Pensate alla musica che c'era prima del rap e a quella che c'è stata dopo e poi pensate al rap, è tutta un'altra cosa. Il rap è un linguaggio diverso, è totalmente diretto, nel rap tutto viene detto in faccia, come due che litigano o si telefonano per dirsi una cosa e poi vada come vada, senza tante manfrine o giri di parole. Se c'è da offendere si offende, se c'è da farsi il culo il rap è quello che ci vuole. Il rap è una musica di una potenza mostruosa, piú del rock, piú di tutto, perché è una non musica, si nutre di musica ma porta in scena altro, si nutre di poesia ma è un'altra cosa.

Non so perché il rap mi fece impazzire, parlo della fine degli anni '70 quando era ancora un prototipo di genere musicale. Banalmente direi perché era diverso e perché era strano, mi attraeva per la stranezza facile, non inquietante. Erano gli anni dell'eroina, e a scuola c'erano quelli che se ne fregavano di tutto, e si sporgevano sul burrone. Venivano guardati con una certa ammirazione, come si guarda il re della giungla, anche se a me sembravano leoni spelacchiati e un po' intontiti. Non avendo simpatia per tutta la tiritera autodistruttiva del rock, il rap mi tirò dentro perché era fresco, notturno e urbano ma senza troppa tossicità intorno. Forse fu questo ad attrarmi in modo irresistibile.

Il rap era un paese delle meraviglie, zero politica, zero eroina, niente droghe, niente sí sí no no, niente di niente, pura forma, puro fatto estetico, ritmo, caos, gente che balla, stile. Non c'erano neanche i musicisti, nel rap, non bisognava imparare a suonare niente. L'idea di essere in una band chitarra basso batteria non mi sconfinferava, troppa gente in giro. E poi non era nemmeno un genere di moda, i Duran Duran erano di moda, il rap era una cosa che piaceva quasi solo a me, in Italia, quindi mi ero fatto prendere dal fatto che fosse una specie di spazio libero, senza troppa gente a far la coda per entrarci dentro.

È che sono nato nel '66, che vuol dire che la mia vita da ragazzo autonomo inizia l'anno in cui l'Italia vince i mondiali di pallone. Un'esplosione di gioia, caroselli di macchine, gente che festeggia una cosa per la quale non ha in pratica nessun merito. Io ero a Cortona, dove ho sempre passato le estati e le feste comandate, e quella notte il boss della discoteca dove avevo iniziato a fare pratica ai giradischi mise le casse fuori dalla porta del locale e quello fu il mio vero debutto da disc jockey. Venni pagato per la prima volta, 15 000 lire. In nero, che non sapevo cos'era, in azzurro, quindi. Italia '82.

Probabile che quei festeggiamenti davvero generali nascessero anche da una voglia collettiva di buttarsi alle spalle tutto il decennio di scurezza, di «scuraglia» come la chiama Tiziano Scarpa, degli anni di piombo. Quella festa di bandiere e ancora di piú la famosa foto di Pertini che gioca a briscola coi calciatori furono una specie di boccata d'aria nazionale.

Campioni del mondo. Campioni del mondo. Campioni del mondo! Difficile non farsi prendere da quel grido di Nando Martellini alla fine della partita.

Mi venne voglia di fare qualcosa della mia vita.

Musicalmente gli anni '80 sono stati quello che tutti sanno, una vera esplosione di creatività di capigliature e di spalline. La tecnologia la fa sempre da padrona su qualsiasi scena umana e quelli sono gli anni in cui le tastiere dettavano legge in musica e i gel e le lacche facevano la stessa cosa con i capelli. Gel, tinture e synth sono tecnologie imparentate, valide per modificare le forme d'onda, per manipolare la naturalezza, per dare allo spazio altre forme a piacere. La musica di quegli anni ha ben poco di naturale, i suoni sono molto manipolati, fino all'esplosione delle batterie elettroniche che danno il via al cambiamento che porterà ai primi campionatori, l'altra grande rivoluzione dopo il distorsore per chitarre, inventato una trentina di anni prima.

Sentire che il sound degli anni '80 è diventato cosí influente in queste stagioni recenti mi fa ridere perché mai ci fu musica piú bistrattata di quella da parte dei critici musicali, che si scagliavano contro gli anni '80 dal punto di vista musicale, prima di tutto, dicendo che erano anni vuoti e di plastica, come se le due cose fossero in qualche modo sbagliate.

Il vuoto e la plastica possono avere una gran bellezza.

Godley & Creme, *Blade Runner*, i Freur, *Born in the Usa*, *Thriller*, *Boys of Summer* di Don Henley, *Rockit* di Herbie Hancock, *Le finte bionde*, *Full Metal Jacket*, *Daunbailò*, *Jump* dei Van Halen, Depeche Mode, emulator e campionatori, *Let the Music Play*, *Flashdance*, Frankie Goes To Hollywood. Ditemi se questa manciata di roba da sola non può bastare a vivere appagati per il resto dei millenni?

A me della musica di quegli anni piaceva più o meno tutto e – tranne la musica new age da erboristeria e massaggi – ho sempre ascoltato tutto, perché in tutto trovavo qualcosa di interessante. Mi piaceva la new wave, la disco, il pop inglese, il country americano, il festival di Sanremo, i cantanti italiani, la house di Chicago, che all'inizio era perfetta per svuotare la pista in un attimo.

Un giorno ero davanti alla tv con la mia mamma e uno dei miei fratelli, e su Rai Due c'era *Odeon*, il primo magazine televisivo dove si era intravisto un capezzolo di donna, e in un servizio erano stati al Roxy, credo fosse il Roxy di New York, e avevano mostrato il nuovo hype della città, la Sugarhill Gang che si esibiva in lunghe jam session alla consolle.

Era *Rapper's Delight*, l'inizio di tutto.

Ecco l'hip hop, che la prima volta che l'ho sentito non sapevo si chiamasse così.

Un gioco che aveva dentro lo spirito di un'epoca.

La seconda botta forte me l'ha data il film *Beat Street*, che andai a vedere nell'unico cinema di Roma che lo programmò per una sola settimana durante la quale lo vidi tre volte. Il terzo colpo, quello dal quale non mi sono più ripreso è stato l'album dei Beastie Boys, *Licensed to III* dove c'era anche un pezzo con il rap al dritto e la musica al rovescio.

Doug E. Fresh, Eric B. & Rakim, Melle Mel, Grandmaster Flash, Treacherous Three, De La Soul, Ice-T, Ice Cube, Kurtis Blow, The

Fat Boys, Rammellzee, LL Cool J, Run DMC, Dana Dane, Guru, A Tribe Called Quest, EPMD, Lord Finesse, Afrika Bambaataa & Soulsonic Force, Salt-N-Pepa, Whodini, Spoonie Gee, Dr. Jeckyll & Mr. Hyde, Mantronix, The Rock Steady Crew, Kool Moe Dee, Marley Marl, Boogie Down Productions, Nas, Big Daddy Kane. Ecco i nomi scritti a memoria di alcuni dei miei eroi del rap. Di loro conservo ancora i dischi in vinile, rovinati, graffiati, con le copertine consumate.

Dall'hip hop sono poi risalito all'ascolto di tutto quello che nell'hip hop è confluito. Intendo prima di tutto il funk, da James Brown ai Parliament al soul di Marvin Gaye... e poi dai Joy Division a P. Lion, Clash, Smiths, Culture Club, Malcolm McLaren, Madonna, Gaznevada, Human League, il dub giamaicano, il krautrock, New Order, CCCP, Grease, Bee Gees, il jazz, la fusion, UB40, Specials, Eurythmics, Talking Heads, Thompson Twins, Vasco Rossi, Battiato, Plastic Bertrand, Alberto Camerini, i Righeira, Michael Jackson, DD Jackson, Joe Jackson, Wham!, Bananarama, Kraftwerk, Ramones, Captain Sensible, Billy Idol, Kano, Police, Alan Parsons Project, Gazebo, ogni cosa che avesse una sua vitalità mi prendeva, anche se, come ho detto e come ripeto all'infinito, è l'hip hop che mi ha cambiato la vita, il rap. Il rap. Lo scrivo un'altra volta: il rap.

Avevo già cominciato a mixare di tutto. Mi ero appassionato al mestiere di disc jockey proprio per la possibilità che mi dava di mischiare e di frullare le cose all'infinito, non solo la musica, di creare quelle che tanti anni dopo avrei definito «sequenze di senso» partendo da elementi preesistenti di ogni tipo. Il mondo era analogico ma io ero già digitale, nell'anima, traducevo tutto in un'immagine e poi tutte le immagini in codice. La mia vita era internet, ma internet non c'era ancora.

Il mondo della dance era quello piú a portata di mano. Era un bel mondo quello, e io ero piccolo abbastanza per volerne far parte, per volerci crescere dentro. Magari con una mia etichetta, avevo buttato giú qualche nome, pensavo al mestiere di produttore piú che di artista che ci mette la faccia e la voce, ma nel profondo sapevo di mentire a me stesso. La mia strada era su un palco, di fronte a un pubblico, non dietro, ma comunque nel mondo della dance, pensavo, perché era lí che si facevano esperimenti.

Sono il terzo figlio, e si dice che il terzo figlio sia quello che si libera dalle grinfie dei genitori e va a cercare il mondo. Non so quanto sia vero in generale, ma per me lo è stato. Ho cercato da subito di avere un pubblico, perché fin dall'inizio ho intuito che quel «cerchio di solitudine pubblica» di cui poi ho sentito dire nelle scuole di teatro faceva al caso mio. Volevo stare dentro quel cerchio, e starci a modo mio: divertendomi e divertendo, un po' come vedevo fare in tv a Jannacci, a Gaber, a Cochi e Renato, e in generale a quei milanesi, Celentano compreso naturalmente. È una cosa della mia infanzia, per me i cantanti che facessero anche un po' ridere erano il massimo.

Jannacci per esempio era fortissimo, *vengo anch'io no tu no!*, per via di quell'aria stralunata che quando lo vedevo in bianco e nero mi faceva pensare a uno che non avrei avuto imbarazzo a conoscere.

Molti anni dopo l'ho incontrato nel backstage di una cosa e non sapevo se disturbarlo e fargli un saluto, magari non sapeva nemmeno chi fossi. E invece fu lui a venirmi incontro, mi abbracciò e poi mi disse in piena faccia: sei partito come un pirla ma adesso stai facendo cose che mi piacciono! Penso che i ragazzi lo sentano e se ne accorgano e tu svegliali! Diglielo di pensare positivo, non ti stancare mai di ripeterlo! E poi non è che capissi tutto quello che diceva perché Jannacci parla in quel modo anche dietro le quinte e certe parole si perdono, è il suo bello. Ecco, Jannacci è un gigante.

Come si costruisce questo cerchio? Ero a Roma, forse bastava guardarsi intorno.

Conobbi un tastierista di Trieste appena arrivato a Roma, Elvio Moratto, una versione nostrana di certi inglesi alla Howard Jones.

Amava la new wave e portava i capelli corti da un lato e lunghi dall'altro. Era simpatico e parlava a raffica in un dialetto di cui intuivo vagamente il significato ma dava l'idea di condividere certe mie visioni. Prima di tutto che bisognava cercare di farsi notare. I dj in quegli anni se ne stavano piegati sui dischi al buio della consolle senza mai alzare gli occhi oppure l'opposto, facevano i tamarri al microfono senza ritegno. Io avevo in mente un'altra strada, il dj come nuovo tipo di rockstar. Una notte Elvio portò la sua tastiera nella discoteca dove lavoravo, il *Veleno*, in via Sardegna, una traversa di via Veneto, mentre io facevo girare delle ritmiche usando due dischi uguali: lui suonava e io rappavo. La gente impazziva, era una cosa mai sentita prima, lo era anche per noi. Cosí affittammo uno studio per due giorni sborsando 500 000 lire di tasca nostra.

Jovanotti è nato in quelle settimane, come un suono non scritto, mentre passavo di fronte al palazzo del Sant'Uffizio tornando a casa a piedi da quello studio di registrazione dove avevo fatto la mia prima canzone, che si chiamava *Walking*, una specie di rap in inglese. Il nome doveva essere Joe Vanotti, da tizio italoamericano, poi per un errore del tipografo diventò Jovanotti, pronuncia identica.

La canzone non era nulla ma era già qualcosa e la rinomata etichetta discodance Full Time decise di pubblicarla stampando 4000 copie di 12 pollici in vinile, un azzardo.

Era l'85 o giú di lí, avevo 19 anni.

Certe mattine, senza neanche ripassare da casa dopo aver messo i dischi al *Veleno*, aspettavo in stato di trance da sonno estremo l'ora della lezione di storia e critica del cinema, con il professor Aristarco che spiegava i film in bianco e nero di Luchino Visconti. Mi ero iscritto all'università: lettere moderne discipline dello spettacolo. Era stata la parola spettacolo associata alla parola discipline ad attrarmi, ma non se ne poteva fare niente: avevo ricevuto la chiamata di Claudio Cecchetto, il capo dei capi del mio mondo, che era il mondo delle radio private, dei disc jockey, dei produttori dance, degli innovatori. Era settembre, faceva caldo. Claudio mi chiamò alle tre del pomeriggio, alle quattro avevo deciso di lasciare tutto e andare.

Lasciavo le lezioni su Luchino Visconti, lasciavo la possibilità di fare il presentatore a *Discoring* dopo che il provino in Rai era andato bene, lasciavo Radio Jolly Stereo, una radio poco piú che di quartiere dove avevo potuto fare tutti gli esperimenti che volevo, passare musica che nessuno aveva mai passato in una radio italiana, imparare la sintesi del linguaggio radiofonico, divertirmi davvero tanto, lasciavo i miei negozi di dischi import abituali, che erano per me gli unici luoghi dove potevo confrontarmi con gente che faceva quello che volevo fare io e dove incontravo i disc jockey affermati e li guardavo muoversi, studiavo i loro atteggiamenti. Lasciavo la mia discoteca, il *Veleno*, dove avevo capito che se dimostri di sapere che musica mettere poi non si dimenticheranno di te.

Andavo verso Milano, Radio Deejay, Deejay Television, il massimo del massimo per uno con le mie ambizioni. Ero un prete di campagna che veniva chiamato a lavorare alla Santa Sede. Ero un calciatore sconosciuto convocato in Nazionale. Ero Cristoforo Colombo cui la regina Isabella diceva ok, vai, dimmi cosa c'è di là. Ecco come mi sentivo.

E non sapevo fare niente, oltre che mettere a tempo due dischi, e ascoltare musica, quello lo sapevo fare benissimo. Avevo un talento formidabile nell'attrarre i dischi belli tra le mie mani.

Sono arrivato a Milano in treno dormendo sul sedile dalla parte che procede di schiena, quella che non sopporto, ma era tutto pieno e non avevo prenotazione, avevo dovuto decidere di partire in un'ora.

Mi presentai negli uffici di Radio Deejay alle nove di mattina. Mi fecero sedere su una panchina bianca all'ingresso e poco dopo arrivò Franchino Tuzio con i capelli lunghi come un apache e l'aria di uno che aveva dormito meno di me. Mi accompagnò in via Lomazzo, lí a due passi, in un monolocale che tenevano come foresteria per i nuovi arrivati dove ho abitato per un anno. Posai la borsa e andammo a fare colazione al bar dell'angolo, dove poi ho fatto colazione e spesso ho pranzato in quell'anno. Milano mi sembrò bellissima: lo smog, la pioggia fitta, l'aria frenetica rispetto a Roma, le pubblicità delle grandi firme, il rumore del tram sulle rotaie, i bar con il bancone pieno di salatini e noccioline nel tardo pomeriggio, i cinesi intorno al mio monolocale. Ero felice di esserc lí, andavo a 2000 chilometri all'ora.

Bruciavo di ambizione, penso di aver avuto una specie di fosforescenza addosso, emettevo raggi gamma a mia insaputa.

Franchino all'epoca era fidanzato con Tracy Spencer, che era l'artista di punta di Claudio Cecchetto insieme a Sandy Marton. Mi piaceva da matti parlare con Franchino, era simpatico e sapeva il fatto suo, aveva un cinismo allegro e un fare accogliente e sbrigativo, sapeva bene come mi sentivo.

Mi sedetti di nuovo sulla panchina all'ingresso. Passò di lí Albertino con una pila di dischi tra le braccia, riconobbi la copertina di un mix dei Pet Shop Boys.

A Milano, pensavo, va forte la roba inglese, che per me non era piú niente in confronto all'ondata di house e hip hop che avrebbe travolto tutti noi e sulla quale io surfavo già da tempo mentre gli altri non si erano nemmeno tolti le scarpe.

Vedendomi lí da solo venne a farmi compagnia Enrico La Falce, che faceva il fonico nello studio di registrazione della Deejay's Gang (il «clan» di Cecchetto) e parlammo di musica.

Mi disse di un locale, il *Plastic*, dove suonavano house, e che una volta ci saremmo andati insieme. Lui aveva una 1100 blu che stava in piedi per miracolo e una sera con lo spray argentato ci scrivemmo sopra «pump up the volume». Tanto per intenderci.

Enrico è stato il sound engineer dei miei dischi dall'87 al '97 mixando ogni canzone da *Gimme five* a *Questa è la mia casa*.

Cecchetto arrivò alle due e mezzo del pomeriggio. Era piú alto di come me lo ero immaginato, portava degli occhiali neri e aveva quel carisma pazzesco, catalizzò l'atmosfera in un attimo. Entrò in una porta che doveva essere quella del suo ufficio privato.

Ne uscí poco dopo, mi vide, mi strinse la mano e mi disse di seguirlo.

Scendemmo con l'ascensore che portava direttamente a una porta che si apriva al suo passaggio e sbucava dritto di fronte alla sua auto, che mi sembrò enorme. Eravamo io, lui e un autista vestito come una rockstar, salimmo in macchina, una Lancia Thema blu metallizzata con il telefono dentro. Non ero mai salito su una macchina col telefono. Mi sistemai sul sedile di dietro.

Partimmo, la radio sintonizzata su Radio Deejay.

Claudio mi disse subito che avrei potuto vincere il «Disco Verde» del Festivalbar con *Walking*, ma vinse un pezzo della Deejay's Gang, che poi non ebbe nessun successo. Ma è stato meglio che tu non abbia vinto, mi disse, sennò avresti avuto un po' di successo e magari oggi non saresti qui con me. Giusto, pensai, il destino è una grande figata, le cose vanno male per poi andare meglio ancora.

La realtà a volte prende la rincorsa, e fa qualche passo indietro, l'ho sempre pensato e quella era la conferma.

Arrivammo a Cinisello Balsamo e lí c'erano gli studi di Deejay Television. Al trucco c'era Linus che mi strinse la mano con fare autorevole e vagamente paterno.

Avevo addosso delle Converse bianche, un paio di pantaloni bordeaux con le pince due taglie in piú della mia comprato in via del Cor-

so, camicia bianca abbottonata fino all'ultimo bottone, bretelle nere, cappellino con la scritta BOY comprato da BOY in King's Road a Londra due settimane prima, quando ero stato a fare scorta di dischi per affrontare l'autunno e ancora non sapevo che sarei partito per Milano.

Nella stanza dei vestiti di Deejay Television c'era uno stendino pieno di felpe stampate, camicie colorate, magliette con scritte del genere di quelle che aveva il pubblico di *Drive in*. Ci guardammo con la costumista e decidemmo che stavo bene cosí come ero. Meno male, pensai.

Mi vestivo ispirandomi a un certo stile pop inglese, e a certe rare foto che arrivavano dalla scena hip hop e disco di New York (ne ho in mente una dove Keith Haring aveva delle grosse scarpe da basket che sembrava servissero per camminare sulla luna), mischiato con elementi presi da programmi tipo *Quelli della notte*, camicie con fantasie grafiche e colori fluo, e cappelli strani, sempre, anche quando lavoravo in consolle. Il vestito era una parte importante di quello che avevo in mente: volevo che la gente si ricordasse di me per i dischi che mettevo, per i rudimenti di rap e per i mixaggi artistici ma che potesse associare un'immagine a quella musica.

Si trattava di fare due annunci, nel primo dovevo presentarmi come Jovanotti, nuovo arrivato a Deejay che si occuperà di dance. Il mio sogno. Intanto Linus finiva di registrare e io mi guardavo intorno. Claudio era in regia e parlava con un interfono, la sua voce diffusa nello studio aveva qualcosa di mistico.

Venne il mio turno. Era la mia prima volta, lí dentro lo sapevano tutti e tutti sapevano che poteva essere anche l'ultima. Ne avevano visti di primi annunci che sono anche gli ultimi.

Avevo pensato benissimo a cosa dire, a come tenere le mani, al ritmo da dare al parlato. Poi si accese la luce rossa e scaricai giú tutto senza pensarci troppo. Non fu certo un annuncio degno di David Letterman ma mi dissero che andava bene, registrai il secondo e mi rilassai.

Ero a Deejay Television, il programma che guardavo ogni santo giorno e dove davvero avrei dato un braccio per essere. E c'ero.

Avevo l'appoggio incondizionato della mia mamma, che non mi ha mai fatto domande, dandomi l'impressione di fidarsi di me al 100 per cento, sempre, a qualsiasi ora del giorno e della notte. Avevo la grinta di dimostrare al mio babbo che aveva torto marcio a dirmi che questa cosa in cui volevo gettarmi non aveva futuro. Che mestiere è il disc jockey? mi gridava. Lo so io che mestiere è, aspetta e vedrai.

Ogni essere umano è il risultato
di un padre e di una madre.
Si può non riconoscerli, non amarli, dubitare di loro.
Eppure sono lí, con il loro volto, i loro atteggiamenti,
i loro modi e le loro manie, le illusioni, le speranze,
la forma delle mani e delle dita dei piedi,
il colore degli occhi e dei capelli,
il modo di parlare, i pensieri,
probabilmente l'ora della morte;
ci hanno trasmesso ogni cosa.

JEAN-MARIE-GUSTAVE LE CLÉZIO, *L'Africano*

Se è vero che nell'infanzia è riposto il motore che ci porterà per il resto della vita io credo di avere un motore di piccola cilindrata spinto sempre al limite.

Ho avuto due genitori che erano ragazzini negli anni della seconda guerra mondiale e adolescenti nel dopoguerra italiano e questo ha contato, non so come ma ha contato. A Cortona, dove loro vivevano, la guerra è passata senza troppa forza d'urto, e immagino che questo abbia fatto in modo che crescessero in un mondo un po' riparato dalle cose più brutte, dai bombardamenti e dalla fame più nera. In fondo anche le storie più tristi che mi hanno raccontato avevano sempre l'attenuante di una certa dose di allegria. O almeno cosí me le hanno sempre fatte leggere.

I miei genitori hanno due storie che varrebbe la pena di raccontare, perché le storie di quegli anni a guardarle bene sono sempre storie di una bellezza… un giorno ci tornerò sopra.

Comunque non c'è dubbio che la mia mamma e il mio babbo, le loro vite, il loro respiro, le loro scelte, le cose che gli sono capitate hanno avuto un ruolo decisivo in tutto quello che poi è capitato a me.

A due anni stavo per morire. Non funzionava qualcosa nel mio organismo e in pratica non assimilavo niente. Un medico un po' all'antica aveva detto ai miei genitori di stare tranquilli che era una normale influenza e mi aveva prescritto degli antibiotici, ma la febbre saliva e sudavo freddo, non aprivo nemmeno gli occhi, allora il mio babbo mi avvolse in una coperta e andammo di corsa all'ospedale Bambin Gesú dove mi infilarono una flebo alla caviglia perché le braccia erano troppo piccole per reggere l'ago. Ho ancora la cicatrice di quell'ago. Ogni tanto la guardo, è a forma di J, quando si dice il destino. E comunque sono sopravvissuto, come potete

constatare. Mio nonno Lorenzo lo aveva detto quando avevo co-
minciato a stare male: Questo bimbo ha ginocchia grandi, diventerà forte. La sua previsione e la scienza pediatrica avanzata hanno
fatto la loro parte a mio favore.

Insomma, sono uno che in un'altra epoca o ad altre latitudini avrebbe arricchito le statistiche sulla mortalità infantile.

Una pagina di Pasolini raccolta nelle sue *Lettere luterane* parla di quelli come me. In breve lui dice: il progresso della scienza
ha fatto in modo che milioni di bambini che pochi anni prima sarebbero morti per mancanza di rimedi efficaci oggi sopravvivano.
Questo «popolo» di sopravvissuti per cause innaturali ha un rapporto con la vita meno naturale e quindi c'è da stare attenti, perché costoro sono i protagonisti di una certa mutazione antropologica. Eccomi, io sono uno di quelli. Sono un post-qualcosa. Sono
un Frankenstein e ne vado orgoglioso, e di questo sono grato alla
scienza, a mio nonno e alle rondini. Forse per questo mi pare che
tutto sfugga sempre, che bisogna correre, che non c'è tempo da
perdere. Che vorrei vedere tutte le città del mondo, tutti i paesi,
ascoltare tutta la musica possibile, fare dischi, farne ancora, migliorarmi, tracciare un segno. O forse è stata l'influenza dei telefilm di Zorro che guardavo in tv: quando nel momento chiave
della storia scriveva la Z con la punta della spada sulla pancia del
sergente.

O forse, più semplicemente, era quello che toccava a me: terzo figlio di una famiglia *working class* in cerca del suo spazio, del suo posto a tavola. Il fatto di non avere avuto mai una mia «cameretta» in
casa, il fatto di essere cresciuto indossando i vestiti smessi dai miei
fratelli maggiori mi aveva iniettato una voglia di indipendenza feroce, e una certa fretta. Volevo farcela, e ce l'avrei fatta, anche se non
sapevo cantare e non sapevo suonare nessuno strumento.

A volte non saper suonare è quello che ci vuole. E io in quello sono un maestro.

Metto le mani su diversi strumenti ma in una maniera del tutto intuitiva, quasi come una scimmia o come un gatto che cammina su un pianoforte. Non ho mai voluto sviluppare una capacità di «suonare» perché non ne sentivo l'urgenza, ho preferito provare a sviluppare la mia capacità di sentire la musica e quindi di ispirare un musicista al momento di registrare. Ho sempre cercato di avere a che fare con i piú bravi in circolazione e che avessero apertura mentale, che capissero la storia. Tutti i dischi che ho fatto, all'inizio specialmente, non li ho mai vissuti come un modo per imparare «la musica» ma solo *quella* musica, *quel* disco, *quelle* canzoni. Non so leggere uno spartito e non so arrangiare un'orchestra di tutti i timbri. Abito nella musica e vivo di musica ma ho ancora una certa soggezione quando sono al cospetto di un diplomato al conservatorio, come di fronte a un ingegnere o a un chirurgo. Amo la musica ma anche la strapazzo, ci litigo, io e lei non abbiamo una storia semplice.

Tu mi hai mandato qui
Mi hai mandato là
A rompere cose
Che non so riparare.

LEONARD COHEN, *Il libro del desiderio*

Quando Cecchetto mi ha preso nella sua squadra ha imposto il suo tipo di gioco senza che io modificassi il mio tipo di talento. Claudio voleva vincere, io magari avrei scelto di rimanere in un ambito da discoteca, invece lui ha creduto che potessi comunicare con i milioni davanti alla tv. Mi ha buttato nella mischia, io non ero pronto, ma era proprio quello che serviva, che io non fossi pronto. Lui ha sempre avuto un occhio quasi infallibile nell'individuare l'energia degli individui, la loro voglia di farsi strada nella vita, intendo la voglia vera, non quella che uno racconta in giro ma che poi è il primo a non crederci. Mi ha messo in campo da titolare e io ho giocato.

1988, dal Rolling Stone di Milano il sabato pomeriggio va in onda *1 2 3 Jovanotti*.

Se rivedo oggi quella roba il giudizio tecnico è una bocciatura netta: urlavo, ridevo compulsivamente, dicevo cose senza senso, mostravo un entusiasmo esagerato, mi muovevo come una specie di Pinocchio troppo cresciuto (molte di queste cose le faccio ancora adesso). Ero proprio imbarazzante.

Con me sul palco c'era un bambino, Lulli, che oggi è un giovane signore che ha un negozio a Roma e una bella famiglia. Aveva 8 anni e abitava vicino a casa mia a Roma, la sua mamma andava in parrocchia con la mia. Lui voleva essere esattamente come me, si vestiva e si dimenava come me, poteva essere un mio alter ego bambino cosí lo portavamo a Milano il mercoledí, il giorno delle registrazioni. Uscivamo sul palco insieme sempre conciati come due gemelli con 14 anni di differenza e la cosa funzionava, creava un corto circuito.

In una discoteca di Napoli dove avevo fatto una serata avevo anche trovato un tipo che era il sosia spiccicato di George Michael. Allora lo vestivamo come lui nel video di *Faith*, col giubbotto da moto

i jeans aderenti al pacco e i colpi di sole. Nel programma faceva il
mio assistente. Spostava microfoni, mi portava da bere, incitava il
pubblico. Quando venivano i grandi ospiti internazionali tipo Bon
Jovi o gli Europe o Boy George vedevano entrare George Michael sul
palco e facevano delle facce da morire dal ridere, perché all'inizio ci
cascavano, gli veniva un colpo. In una puntata che ho visto tempo fa
su YouTube c'erano ospiti i Run Dmc, una delle ragioni per cui amo
la musica. Nel programma sembro un invasato, e loro mi guardano
come si guarda uno che da un momento all'altro potrebbe vomitarti
addosso la cena e i drink della sera prima.

Penso al me di quel periodo, a com'ero su quel palco e poi penso
che anni dopo mi sarei trovato in situazioni talmente distanti da sentire quasi di non essere la stessa persona. Eppure io ero, sono sempre
stato, la stessa persona, anche quando qualcuno cominciò a conside-
rarmi intelligente con la stessa identica decisione con cui la stagione
prima mi aveva considerato un cretino. Vista da fuori non so che
impressione possa dare, vista da dentro questa presunta metamorfo-
si aiuta a credere che in fondo è sempre con te stesso che te la stai
giocando, e non ci può mai essere una corrispondenza tra quello che
vedi tu nello specchio e quello che gli altri ti dicono di vedere. Quello di *1 2 3 Jovanotti* è lo stesso essere umano che anni dopo si trovò a
passare delle ore parlando con Tiziano Terzani, a casa sua, a Firenze,
bevendo un tè cinese che lui aveva portato dai suoi storici pellegri-
naggi raccontati in libri che dimostrano quanto il buon giornalismo
possa essere grande letteratura. Oppure in un teatro di Genova con
Edoardo Sanguineti, il poeta, a parlare di rime e di viaggi davanti a
un pubblico di ragazzi e di professori di lettere.
  Vedi che davvero la vita è un'avventura, su questo non ci piove.
Si può pensare quello che si vuole ma non che la vita non sia qualcosa di pazzesco, specialmente se ci si mantiene flessibili, o ci si prova, almeno.

Eppure – posso dirlo visto che sono passati 25 anni – in quel programma sono sicuro di intravedere lo spirito elettrico degli stati na-
scenti. La questione è «ittica», nel senso che qualsiasi pesce se lo tiri

fuori dall'acqua muore e da morto non lo puoi nemmeno imbalsamare, perché dopo poche ore comincia a puzzare. Quello che puoi fare è scattargli una foto, e restare legato a quella foto per sempre.

Sí, se incontrassi oggi quel Jovanotti lí sarei un suo fan, sapendo che quell'entusiasmo sconclusionato sarà messo alla prova.

Quando mi capita di sentirmi parlare in un filmato di quel periodo ho addirittura una specie di assurdo accento milanese e, a casa nostra, di Milano non avevamo nemmeno una cartolina. Me lo spiego solo se penso che in effetti sono il tipo che se rimane piú di una settimana nel Borneo inizierà a spalmarsi colori in faccia e a indossare copricapi piumati e a mangiare insetti.

Con Claudio aprimmo perfino una linea di abbigliamento che io stesso disegnavo, pubblicizzammo bibite, merendine e videogiochi, pubblicammo addirittura DUE mie biografie ufficiali, andavamo in giro come se fossimo Elvis e il colonnello Parker. Sembrava che non dovesse finire mai.

Poi alla fine di quelle dieci puntate sono partito per il militare, destinazione Albenga. Ma questa è un'altra storia.

Ho fatto di tutto per non fare il militare o per rimandarlo. Non sono arrivato a fare il matto come certi miei amici perché ci vuole un bel coraggio ma ho tentato la via della compassione e per una volta ci sono anche riuscito. Appena firmato il contratto con Cecchetto mi sono presentato con il mio babbo, un dipendente del Vaticano con l'aria da brava persona, da un colonnello del distretto di Roma dove avevo fatto i tre giorni e ho supplicato che mi dessero un foglio di rinvio di un anno. Mi hanno appena chiamato a Milano a lavorare, gli dissi, per me è una grande occasione e se parto militare mi va tutto in vacca.

Lui mi guardò in silenzio, poi mi disse va bene vedremo di farle avere un rinvio di un anno.

Avevo dodici mesi in piú per tentare di evitare di partire. In quei mesi sono diventato famoso, e ho pensato che bastasse quello a essere trattato almeno come certi calciatori, che il militare lo facevano per modo di dire.

Col cavolo.

L'anno dopo ero daccapo. Ma stavolta ero Jovanotti e avevo contatti piú in alto. Un impresario di concerti ammanicato mi mandò da un onorevole, che io non conoscevo come del resto ignoravo tutta la politica e la sua gente. Mi ricevette, e stavolta con me non c'era mio padre ma Cecchetto in persona con i suoi occhiali neri che tolse solo al cospetto dell'onorevole che dopo averci offerto pasticcini arrivati freschi dalla sua terra fece il simpatico e poi il serio e alla fine mi disse è tutto a posto, vai a fare il dj a questa festa della figlia di tal dei tali poi ci penso io a farti avere il rinvio o forse addirittura il congedo per sovrannumero. Perfetto, un gioco da ragazzi. Feci tutto quello che mi aveva detto e una settimana dopo, non un giorno di piú, sono partito per Albenga per fare il car e mi sono fatto un anno di militare con le licenze ordinarie le guardie le sveglie il piantone e la pulizia camerate. Carrista, puntatore destro. L'unica cosa che mi è riuscita bene è non salire nemmeno di un grado. Mi sono congedato da soldato semplice ed è stata una bella fatica perché mi volevano fare per forza caporale.

Durante il servizio militare ho registrato l'album *La mia moto*, nelle sere tra le 6 p.m. e le 11 p.m. e nelle domeniche di libera uscita. Ho partecipato al festival di Sanremo durante la licenza ordinaria arrivando quinto. Ho scritto la sigla di un telefilm assurdo di Italia 1 dedicato alla naja in cambio di una settimana di licenza. Ma la cosa piú bella di quell'anno è stata la copertina di «Tv sorrisi e canzoni» con me in divisa insieme a Roger Rabbit e il titolo *Due ragazzi irresistibili*.

Se guardo oggi il video di *La mia moto* vedo un tipo come posseduto dagli stereotipi del successo, che però ha qualcosa che lo salva, una buona fede, la stessa che salva Pinocchio un sacco di volte nel romanzo di Collodi.

Jovanotti for president era un disco fatto con la mentalità di un disc jockey che vuole semplicemente far ballare la gente. *La mia moto* era il disco di un personaggio, e per i miei vecchi compagni di strada, i colleghi dj, gente che mi voleva anche bene, c'era qualcosa di indigeribile: canzoni come *Vasco* o *Scappa con me* non riuscivano a spiegarsele, sembravano una sintesi infantile di rock di gomma.

In quel periodo ho iniziato a chiedermi: è questa la tua musica? è questo il modo in cui vuoi farla?

La musica dei miei primi dischi doveva servire come battito per bande, era fatta di slogan quasi pubblicitari. Anche se piú tardi qualcuno mi ha associato alla generazione dei «paninari» io non ho mai avuto niente a che fare con quell'estetica – loro seguivano le marche e lo facevano con un accanimento significativo, io cercavo il mio stile e in questo ero altrettanto accanito –, ma nella prima parte della mia carriera mi sono servito di quello che vedevo in loro per creare pezzi che servissero a identificarsi in un gruppo. Furono loro a darmi l'impressione che gli slogan potevano arrivare dritti al punto meglio di una melodia. Si era definitivamente rotto il confine tra pubblicità e vita, tra realtà e televisione, l'arte che mi interessava stava scritta sui muri, la realtà che mi interessava era quella che si poteva comprimere in una frase breve e memorizzabile.

Non so perché nacquero quei pezzi e comunque ascoltandoli oggi ci sento una purezza irresistibile, quella che infatti aveva fatto impazzire molti ragazzini delle elementari e delle medie di quel tempo, però capisco anche chi trovava irritante quel successo, un po' lo trovavo irritante anch'io, anche se me ne facevo una ragione. Questo non significa che io non ami quei dischi, forse li amo ancora di piú perché ci sento dentro il seme di qualcosa di vivo, sono come delle ecografie.

L'anno di militare mi aveva messo a contatto con un mondo fatto di tanta umanità, la piú varia, e in mezzo c'ero io che ero Jovanotti, e che tanti conoscevano ma non tutti apprezzavano per quello che avevano visto e sentito in giro. Quando tornai a casa avevo perso un po' di quella voglia di cazzeggiare e basta, volevo riprendere in mano la mia vita e, come è sempre successo fino a ora, pensai di farlo attraverso la musica.

Sentii il desiderio di cambiare un po' rotta, di tentare un approccio alle canzoni diverso.

Claudio era d'accordo con me. Ci voleva un disco di «canzoni» che fossero piú «canzoni».

Montai un piccolo studio nella casa di Milano dove mi ero trasferito, lasciando il monolocale di Radio Deejay, per buttare giú qualche idea. Claudio mi dava da ascoltare dischi che io non avevo mai frequentato: Battisti, i Beatles, per esempio, che erano il massimo del *songwriting* insieme popolare e di qualità.

Pensammo di coinvolgere dei musicisti «veri», bravi. C'era forse, sotto sotto, un desiderio di fare pace con la Musica, di chiedere anche educatamente scusa per aver fatto tutto quel casino cantando canzoni sgangherate con testi piú vicini ai cartoni animati che alla vita.

I pezzi che uscirono erano una via di mezzo tra qualcosa del mio passato recente e qualcosa che non era ancora chiaro. Imparai molto dalle settimane di lavoro in studio per quel disco. Imparai molto sui musicisti e su come relazionarsi con loro, lo imparai attraverso gli errori, le famose «cantonate» che sono sempre delle benedizioni mascherate, i soldi buttati al vento.

Io non ho mai ragionato sui soldi, anche quando non avevo una lira in tasca.

So quanta fatica ha fatto la mia famiglia per tirar su quattro figli con un solo stipendio da impiegato. So che un euro vale un euro e che sei euro sono la paga di un'ora per un lavoro non qualificato e seimila euro è mezzo metro quadrato di un appartamento a Milano neanche troppo in centro. Il denaro non è lo sterco del diavolo ma non è nemmeno il soffio della Vergine Maria, è una misura di scambio per le merci, e non c'entra nulla con la morale, né con la felicità. La felicità lasciamola stare dove sta, meglio non stuzzicarla troppo con teorie sul suo conto.

Entrammo in studio per fare un album con l'idea di convincere tutti che ero diventato un vero cantante pop ma l'unico che non era del tutto convinto ero io, che non sapevo cosa ero diventato, tranne essere sicuro di non essere più quello di *La mia moto*.

Non sapevo cantare e non sapevo suonare nessuno strumento, in questo consisteva la distanza tra me e la possibilità di fare vera musica. Ma le distanze, eccovi una perla di saggezza, esistono per essere percorse, è chiaro, se non c'è distanza non c'è desiderio, se non c'è desiderio non c'è avventura, se non c'è avventura non c'è un bel niente per cui valga la pena di vivere. Quindi eccomi qua.

Non ho affrontato quella distanza imparando a cantare e a suonare ma facendo della mia condizione il cuore della mia musica, all'inizio. Sentivo che avevo qualcosa dentro che voleva uscire fuori, in modo disordinato e totalmente sradicato da tutto, inserito in nessuna tradizione, nessuna linea di sangue musicale.

Le canzoni sono il mio modo di tirare una palla contro un muro per vedere come ci rimbalza contro, e dico questo sapendo bene quanto irritante per molti potesse essere quello che proponevo, ma all'epoca io non lo sapevo.

Quando ho fatto i primi dischi non c'erano musicisti nei paraggi, non ne volevo, guai a chi mi parlava di usare un basso con le corde o un percussionista o un arrangiatore. La musica si doveva fare con le macchine e basta, fine, era una questione di modernità, e in fondo lo è ancora. I dj fanno musica con i software, e quando si parla di roba da dancefloor sono ancora d'accordo, non c'è nulla di più efficace di una cassa dritta e poco più, ma come avrei fatto quando avessi smesso di fare il dj o il personaggio?

Come si faceva un disco di «canzoni» vere e proprie?

Non so praticamente niente di come si fanno le canzoni anche se ne ho fatte più di trecento. Ogni volta che sono arrivato alla fine di una canzone, a volte impiegandoci tre minuti altre dieci anni, ho avvertito la sensazione di aver scoperto qualcosa che prima non esisteva in me.

Ogni volta che sono in procinto di affrontare un nuovo disco vivo giorni di panico reale come se non fossi tagliato per questa roba, del genere «e ora?» Perché se c'è una cosa che so è che non esiste nessun metodo per scrivere una canzone, non esiste nessuna tecnica per evocare idee che funzionano e ogni volta è per davvero un'avventura nel territorio dei tagliatori di teste, tra Mompracem e i bastioni di Orione.

All'inizio procedevo con un misto di istinto e spirito di emulazione, in pratica sentivo cose che mi piacevano e me le mettevo addosso e in questo modo prendevano tutta un'altra forma. Come un tessuto che se lo stendi su un letto è un copriletto, se te lo butti addosso è un mantello, anche se resta lo stesso tessuto. Poi ho cercato di mettermi a fare tessuti, e per farlo ho voluto capire come si fa, e questa è una cosa che non si può imparare da nessun manuale, nemmeno se te lo spiega qualcuno a voce. Bisogna starci dentro tutti i giorni e comunque il risultato non è mai garantito.

La creatività è un'attività come la preghiera, deve essere incessante e profonda, deve impegnare l'animo al 100 per cento, non permette distrazioni, non ha nulla di bohémien, è una pratica devozionale vera e propria. Le porte della percezione si aprono trovando la chiave giusta sapendo che quella chiave funzionerà per aprirle una volta sola, poi la serratura cambia e bisogna rimettersi al lavoro.

Qualche volta apre la porticina di una capanna, qualche volta il portone di un grattacielo.

E tutto questo bendidio partendo magari da un giro di do che sa suonare anche un bambino di sei anni (ma io fino a ventisei anni non ho saputo distinguere un do maggiore da un gatto a strisce).

Quello che davvero conta in una canzone non puoi spiegarlo, il resto è lavoro.

Certe canzoni sono forti e arrivano al cuore proprio perché sono fatte di niente, sono dei palloni aerostatici che si alzano in volo per una serie di coincidenze delicate. Può capitare che queste coincidenze esistano subito, e la canzone può venir fuori in cinque minuti bell'e finita e non ha bisogno che di essere registrata il piú in fretta possibile. Altrimenti una canzone può nascere come una singola intuizione che ha dentro qualcosa di buono ma è solo un seme, e allora c'è bisogno di impazzirci dietro e di una bella dose di tenacia per portarla in fondo e magari in fondo non è un granché. Ma se l'intuizione iniziale mi dà un brivido allora non mollo, piuttosto ci metto dieci anni ma prima o poi la catturo, cascasse il mondo.

Non so quali siano le ragioni di un successo, di una sola hit o di una lunga carriera. C'è però qualcosa che fa la differenza nelle cose che funzionano per davvero. È un respiro poetico che le cose hanno o non hanno, e non dipende da quante belle parole in rima ci sono o da quanto intelligente è un testo o accattivante una melodia. C'è dell'altro, e nessuno sa bene cos'è. Il nastro, adesso l'hard disc, registra sempre una verità, e a volte quella verità entra in risonanza con il cuore di chi ascolta facendo scattare qualcosa di irresistibile che si traduce nel desiderio di riascoltare quella cosa allo sfinimento.

Prendete *Umbrella* di Rihanna oppure *Be My Baby* delle Ronettes, *Girls & Boys* di Prince o *Billie Jean* di Michael Jackson e ditemi se non si tratta di qualcosa di bellissimo, di efficace, come un'aspirina o un cucchiaio, funziona.

E il pop (e su cosa intendo per pop ci potrei scrivere un libro infi-nito), che molti considerano facile per definizione, è il genere piú dif-ficile di tutti, una canzone pop riuscita è un miracolo vero e proprio, niente a che vedere con le zone protette, le riserve indiane, indie, appunto. Il pop è plastica che deve prendere vita, non è uno scherzo ma deve sembrarlo.

Muoversi nel pop per me è come vivere dentro a un frullatore dove qualcuno ha spinto il tasto ON.

È come inventarsi una pubblicità che faccia la réclame al mondo. È come fare il film di Natale anche a Ferragosto, mai puntando al ribasso.

Anche se magari molti potranno non essere d'accordo sul livello del risultato io ogni volta cerco di fare un pezzo che faccia DAVVERO star bene la gente. Che faccia la differenza tra il prima e il dopo.

Cosa hanno in comune i pezzi pop memorabili? Che se ci guar-di dentro ti accorgi che sono gallerie di specchi. Ti ci perdi, non sai piú dove sei, ma il posto dove sei ti piace da matti, e non sai perché.

Ecco una lista di cose che deve avere una mia canzone perché io decida che può andare in un disco. Caratteristiche che possono esse-re coordinate oppure no, è lo stesso. (Credo).

– Mentre ci sto lavorando deve farmi venire voglia di riascoltarla subito appena mi sveglio la mattina.

– Deve farmi venire voglia di farla in un concerto, davanti a un pubblico, prima possibile.

– Deve darmi quella sensazione in cui avverto di trovarmi in un posto dove non sono mai stato, un posto dove sentirmi vagamente in pericolo.

– Oppure deve ricostruire un posto dove mi piace stare, deve far-mi sentire a casa, da bambino, nelle prime ore del pomeriggio, prima di iniziare a fare i compiti. Proprio lí.

– Deve avere un inizio forte, che appena parte dici, eccola, è lei.

– Deve avere dentro qualcosa di vivo, un'elettricità.

– Deve contenere una promessa.

– Devo avvertirla come un regalo da fare a qualcuno e sentire ad-dosso quello che si sente mentre si incarta un dono destinato alla pro-pria amata o a qualcuno di speciale.

Giovani Jovanotti è stato un esperimento non del tutto riuscito, a parte *Gente della notte* e *Ciao mamma* che seppur diverse sono canzoni con una loro compiutezza e che ancora faccio nei concerti, se capita.

Partecipai a una delle ultime edizioni di *Fantastico* di Rai Uno, l'ultima di Pippo Baudo, con cui poi siamo diventati grandi amici. Io ero l'ospite fisso, facevo la parte del «giovane» e non è che la facessi proprio bene, infatti il grosso del pubblico che si era divertito con *La mia moto* mi voltò le spalle, e non ne feci un dramma, se non che a un certo punto Claudio decise di mettermi alle strette e si ritirò dalla società che avevamo al 50 per cento lasciando il 100 per cento a me, solo che nel frattempo era diventato il 100 per cento di niente.

In quel momento la mia storia con Claudio Cecchetto cambiò livello. Era un momento critico, si sarebbe anche potuto chiudere lí, e amici come prima. Ebbi la fortuna che quel suo lasciarmi a me stesso era la grande opportunità per me di dare un colpo di reni, e fu quello che tentai di fare. Da quel momento il nostro rapporto divenne altro, divenne di piú, potrei dire che da allora Claudio per me cessò di essere la figura da temere e venerare come si fa con un padre, con un mito, con una presenza idealizzata e si trasformò in un amico che ha però il grosso vantaggio di essere uno dei piú grandi geni della comunicazione in circolazione. Un suo consiglio, credetemi, può fare la differenza, e spesso l'ha fatta e ancora oggi la fa. Sono il padrino di suo figlio Jody e questo ci rende anche in qualche modo parenti. Voglio bene a Claudio e so che senza di lui questa storia che sto raccontando sarebbe molto diversa. *Gratitude*.

Affittai un ufficio di due stanze a Milano, io con Mario Losio, un patito di film d'azione e di sport americani che aveva iniziato a lavorare con me come guardia del corpo nel periodo dell'assalto delle ragazzine e ora si trovava improvvisamente nel ruolo di manager tuttofare. Un delirio. Ma ci siamo divertiti un sacco e con Mario ho passato tanti anni e abbiamo condiviso tanta di quella vita che solo a pensarci mi vengono i lucciconi. È uno dei miei piú grandi amici.

Iniziai a pensare a quello che sarebbe stato l'album *Una tribú che balla* ma nel frattempo c'erano da chiudere certe cose. Prima di tutto la mia storia con la tv, dove si stava prefigurando una possibile carriera da conduttore di programmi per ragazzi. Bonolis quell'anno avrebbe lasciato *Bim bum bam* per passare alla tv serale e proposero a me quel posto. MTV, la tv americana, stava aprendo in Europa e voleva che mi trasferissi a Londra a fare il vj a tempo pieno per loro. Due cose per le quali chiunque sarebbe come minimo impazzito e avrebbe firmato contratti con il sangue. Ma io dissi di no. La musica è sempre stata la mia storia, e per me in quel momento di casino c'era una sola cosa possibile all'orizzonte: un disco.

Non avevo un titolo ma avevo una gran voglia di mettermi su un progetto nuovo, ripartendo da sotto zero.

Durante e intorno a quel disco aleggiava un'aria di incertezza sul futuro. Nessuno sapeva se sarei riuscito a mantenermi sulla scena della musica italiana. In pochi ci scommettevano, le quotazioni erano bassissime, ma io non avevo molti dubbi, si trattava solo di passare un tratto di deserto. Mi misi in viaggio.

C'è un bel film di Peter Brook tratto da un libro del maestro mistico Gurdjieff, *Incontri con uomini straordinari* (un libro bellissimo che consiglio a tutti, uno dei libri che amo di piú). In una scena del film gli avventurieri alla ricerca di una specie di terra della saggezza si trovano alle prese con una tempesta feroce in un deserto infuocato. Non avendo vie di fuga o luoghi per ripararsi costruiscono dei lunghi trampoli di fortuna per alzarsi al di sopra del vento micidiale che li avrebbe spazzati via. In questo modo si salvano e possono proseguire la loro ricerca.

La musica per me ha sempre funzionato un po' come quei trampoli. La musica era ed è un modo per sollevarmi al di sopra di questi venti di crisi. La parola crisi noi di questa generazione la conosciamo bene, ne sentivamo parlare ai telegiornali fin dall'inizio degli anni '70, all'epoca della crisi petrolifera eccetera eccetera. Ma un conto sono i telegiornali, un conto un signore di una banca che tu non sai nemmeno che faccia ha che ti telefona per dirti che non hai piú un fido e devi rientrare. Rientrare? Rientrare dove?

Io volevo solo innamorarmi di nuovo dello scrivere canzoni e fare dischi. Serviva qualcosa che resettasse la faccenda, un vento che aprisse la finestra e facesse volare tutte le carte dal tavolo e soffiasse via la polvere lasciandomi tra le mani un suono straordinario.

Fuori della finestra c'erano gli anni '90. Il decennio della frammentazione totale che ha fatto da trampolino per l'era digitale, quella in cui siamo immersi adesso. Non vale mai la divisione matematica 70/80/90: se devo parlare di musica che negli anni '90 mi è piaciuta non mi basta la Treccani ma, per dire, se penso a *Graceland* di Paul Simon, a caldo mi viene da collocarlo negli anni '90, e invece è dell'86, perché quello è un disco talmente bello che sta bene in qualsiasi decennio, un po' come *Thriller* di Michael Jackson o *So* di Peter Gabriel oppure *Paul's Boutique* dei Beastie Boys, quella è roba che io metto tranquillamente di fianco a gente come Bach o Mozart e accanto a *Bitches Brew* di Miles Davis, che per me è una specie di big bang musicale. Quando devo riconciliarmi con l'idea di una musica davvero totale metto su quel disco o uno qualsiasi di quel periodo di Miles Davis.

Chiaro che una bella canzone, non mi stancherò mai di dirlo, è sempre superiore al tempo in cui esce e i pezzi forti non hanno età, però l'atmosfera che si respira può aiutare a capire tante cose, mentre si compone lascia sempre una traccia.

Lí è nato l'album *Una tribú che balla*, il mio disco piú rap, che ha avviato poi una trilogia che è proseguita con *Lorenzo 1992* e *Lorenzo 1994*. Quei tre dischi nella mia testa sono un disco solo. Comincia un nuovo mondo.

Nella copertina di *Una tribú che balla* ho la visiera del cappello che mi fa ombra sugli occhi, come fossi uno che sta per alzare lo sguardo e forse ti fulminerà, o magari lo sta abbassando e forse se ne andrà. Dice attenzione, sto per fare qualcosa. Anche *Buon sangue*, che è di qualche anno dopo, ha una copertina con una foto simile, che dice piú o meno la stessa cosa. Infatti questi due dischi sono nati per due ragioni simili a distanza di 15 anni uno dall'altro. 15 anni sono un ciclo vitale completo. La vita di un cane, di un randagio razza mista, per l'appunto.

Lavoriamo molto alle copertine dei dischi, da sempre. All'inizio, all'epoca di *Jovanotti for president* c'era un settore grafico all'interno degli uffici di Radio Deejay che faceva tutto per Cecchetto, quindi anche le mie copertine. Gli diedi solo un'indicazione: scrivere Jovanotti come se fosse il marchio di una moto da cross. E che le due t fossero unite, come un π, come un segno unico, non so perché, mi girava cosí.

Poi nel '90 ho conosciuto Sergio Pappalettera e da quel momento ho sempre lavorato con lui per le copertine ma anche per il resto delle cose dove servisse una veste grafica.

Le copertine dei dischi sono importanti. Non è una cosa che lascio alla fine. Come per il titolo, comincio a girarci intorno da subito. Con Sergio passiamo mesi a parlare dell'immagine giusta, a volte l'abbiamo trovata in corsa all'ultimo momento ma arrivandoci dopo essere passati da *Sgt. Pepper's* e dalla banana dei Velvet Underground, come minimo.

Abbiamo iniziato che aveva i capelli neri e ricci come Gheddafi e ora li ha bianchi e vaporosi come Bruno Lauzi.

La questione è sempre quella di trovare qualcosa che funzioni piú della mia facciona in copertina. E allora facciamo il giro del mondo ma alla fine, almeno fino a oggi, siamo sempre approdati alla mia faccia. Non perché sia un tipo fotogenico, ma perché la faccia è sempre la mappa di quella musica, e non c'è nulla che la possa raccontare meglio, nel mio caso. E anche perché considero ogni mio disco lo stesso disco ma con altra vita dentro, cosí come la mia faccia è la stessa ma passata attraverso piú vita.

Quello che andiamo a cercare però è il volto di QUEL disco e di nessun altro. Per *L'albero*, tanto per dire, facemmo una giornata di foto con Gianni Ghidini e prima di cominciare gli dissi solo che serviva un ritratto dove io sembrassi un albero. In effetti in quella foto sembro proprio un albero. Cosí come la foto di *Lorenzo 1994* è talmente uguale a quel disco che posso ascoltarlo anche solo guardando la copertina.

Lorenzo 1992 è una delle rare copertine dove sono inserito in un paesaggio, per l'appunto, l'appartamento di Milano dove ho vissuto da single fino alla metà dei '90. Quell'immagine volevo che raccontasse un mondo esploso in senso positivo, e non c'era niente di meglio della mia stanza. In quella foto, se guardate bene, ci sono anche Saturnino e mio fratello Bernardo, che in quel periodo era spesso a Milano. Sono mimetizzati nel disordine. Sono uno degli uomini piú disordinati del mondo a detta delle persone che mi frequentano, però al mio disordine ci tengo, toglietemi tutto ma non il disordine.

Erano gli anni d'oro della world music, perché come sempre c'era voglia di qualcosa di nuovo e, in un'epoca che si fa piú interconnessa, non tutto quello che è nuovo può arrivare sempre e solo dai paesi anglosassoni. A parte il solito pezzo latino che viene fuori ogni estate ci sono state cose importanti che mi hanno influenzato, come il disco di Ry Cooder e Ali Farka Touré oppure *Buena Vista Social Club* che contiene uno dei miei pezzi preferiti di sempre, che si chiama *Chan Chan*. Siamo stati investiti da un'infinita abbondanza di musica e il lavoro da fare è diventato quello di trovare percorsi personali dentro quella giungla, quasi come doversi fare il proprio dna musicale unico. Una bella sfida per l'uomo moderno, in tutti i sensi, costruirsi un'identità avendo a disposizione una scatola di montaggio praticamente illimitata.

Negli anni '90 la musica dance o da ballare è entrata nei salotti buoni. Si sono accorti che la cosiddetta «scena club» ne aveva da dire tanto quanto qualsiasi corrente artistica di rilievo. Sono cresciuto in un mondo dove tutto quello che si ballava in discoteca era considerato merda dai critici e dai saputelli di tutte le chiese, e negli anni '90 c'è stato il passaggio.

Nel rock è successo qualcosa. Non se ne poteva piú di capelli scolpiti a colpi di phon, ormai sfiancati dalle doppie punte non reggevano piú, e le Harley Davidson all'improvviso sono diventate uno status symbol conformista.

Le radio passavano Nirvana e Pearl Jam (band strepitose con un sound mai sentito prima che mi piaceva, ma nel modo in cui poteva piacermi una donna che non avrei avuto il coraggio di avvicinare in nessun modo, per paura piú che altro), «club culture», house e drum and bass, poi Bjork, gli U2 (*Achtung Baby* è uno dei dischi che ho ascoltato di piú), i Massive Attack, Snoop Dog e compagnia bella, Beck, le follie di Prince, i Fugees e l'r'n'b di quello stampo, i Rem, i Blur e naturalmente i Radiohead.

E *Blood Sugar Sex Magic* dei Red Hot Chili Peppers.

Lí dentro c'era del funk, mischiato con qualcosa di selvatico e crudo. Rick Rubin, il produttore di quel disco, era un mio eroe assoluto, avendo fatto dischi che considero irrinunciabili, Beastie Boys, Run Dmc, Public Enemy, e fondato la Def Jam, l'etichetta che qualsiasi cosa pubblicasse io la compravo in doppia copia. I Red Hot Chili Peppers mi erano piaciuti già con gli altri dischi ma *Blood Sugar Sex Magic* era una grossa novità. Era potente e arrivava dritto al punto, dove ero io in quel momento e dove evidentemente si trovava una barca di gente come me.

Quello era il disco giusto. Prendemmo l'idea del giro di basso di *Give It Away* e ci costruimmo un groove che poi divenne *Non m'annoio* allontanandosi molto da lí ma conservando quella carica che ci aveva ispirato.

Lorenzo 1992 andò forte. Ero contento di quel disco quasi come di *Una tribú che balla*, che mi aveva acceso una nuova lampadina, e stavolta avevo spinto un po' di piú verso il pop e le canzoni da radio, specialmente con *Ragazzo fortunato* che finalmente era nata. Avevo quel titolo nel cassetto da qualche anno ma non c'era ancora una canzone intorno. È strano come venne fuori. Eravamo nello studio/garage di Forlí e quella sera c'era gente lí dentro, amici che erano passati a trovarci come succedeva spesso, specialmente a notte fonda, quando non sapevano dove andare ma erano certi che lí avrebbero trovato noi al lavoro. Mentre qualcuno parlava, qualcun altro guardava la tv a tutto volume, in quella specie di delirio io e Centonze scrivevamo la canzone, di getto, perché avevamo un giro di accordi giusto e io avevo beccato la melodia e la prima strofa. Nelle mie canzoni io faccio di solito sia la melodia sia il testo ma preferisco che il giro di accordi nasca con un musicista di cui mi fido, che mi faccia da ostetrica. Ne registrammo una versione reggae ma non mi convinceva, perché caratterizzarla attraverso un genere riconoscibile l'avrebbe definita troppo. Ci voleva qualcosa di piú pop, senza che nessuno potesse dire che genere fosse, cosí la registrammo di nuovo con un groove piú neutro, un sample alla Jackson Five, e in una sera il pezzo aveva la sua identità, era *Ragazzo fortunato* e non assomigliava a nient'altro, era un pezzo da party. In quegli anni usavo spesso i cori femminili nelle canzoni, aggiungevano un tocco di musicalità che nella mia voce mancava e chiamammo due coriste di pregio, Lalla Francia e Antonella Cortesi, a buttare giú qualcosa su *Ragazzo fortunato*. Tra le cose che registrarono c'era un coretto in coda che poi spostammo all'inizio del pezzo, quello che fa *eeeeieeeieieeee* e che tutti cantano ai concerti quando parte la prima nota di quella canzone.

La portai a termine a Milano, come facevo in quegli anni, trasferendo tutto il materiale dalle mani di Michele a quelle di Luca Cersosimo ed Enrico La Falce. Era un modo per mantenere il controllo sulle mie canzoni. Un solo produttore ci avrebbe trasferito troppo di sé e invece a me serviva che fossero mie, che le sentissi addosso completamente avendo valutato ogni singola fase di produzione due volte attraverso sensibilità diverse. Mi ricordava la Costituzione italiana, il senato e il parlamento, la polizia e i carabinieri, la magistratura e la cassazione. Una cosa che generava un certo stress nei miei collaboratori ma serviva al risultato finale, lo rafforzava.

Capii subito che avevo tra le mani una canzone pop, davvero popolare, ero riuscito a intercettare qualcosa di magico e mi venne da piangere.

Quando sento alla radio qualche bella canzone popolare, tipo *Azzurro* o *Volare* o *Viva la vida* o *Perdere l'amore* o cose come *Mare mare* o *50 special*, penso che beccare pezzi cosí sia il massimo perché sono canzoni che vanno oltre la musica, diventano di tutti, entrano nel linguaggio comune della parola e del corpo e ho sempre l'ambizione di riuscire a fare qualcosa che abbia quel respiro. Mi ritrovo in connessione con le persone, come se fossi amico di tutti.

Ragazzo fortunato aveva quel qualcosa, me ne sono accorto subito, mettevo la cassetta del demo in macchina e mi faceva stare bene.

Verso la fine del periodo in studio per *Lorenzo 1992*, era il 23 maggio, ci fu l'attentato a Falcone, alla moglie e alla loro scorta. Considero quel giorno il mio primo vero momento di presa di coscienza civile. Ero stato bambino e adolescente durante gli anni di piombo e piú tardi andai a scavare in quella zona e tirai fuori una canzone, *Mario*, dove racconto un episodio che mi è successo allora, ma fu in quel 23 maggio 1992 che mi sentii per davvero coinvolto e chiamato in causa, come essere umano adulto, come italiano.

Scrissi anche una specie di canzone fatta di poche parole in rima dette sopra a un battito di cuore e quando Claudio venne in studio e la ascoltò mi suggerí di mandarla subito alle radio, senza commercializzarla. Stampammo 500 cd al volo e partirono i corrieri per tutte le radio italiane. Era un cd bianco con scritto solo Jovanotti e un cuore. Venne trasmessa a ripetizione per giorni e giorni e ancora oggi incontro gente che la ricorda a memoria, e aveva fatto sue quelle parole, che poi era proprio quello che mi proponevo perché sapevo di sentire quello che molti ragazzi e molte persone sentivano. E sentono ancora. Anni dopo mi sarei trovato con una canzone quasi finita cui mancava la chiusa del ritornello. La trovai pensando a come mi ero sentito durante il periodo di quegli attentati di mafia e spesso anche dopo. Il verso dice «a tutti i prepotenti dirò forte, con me voi non l'avrete vinta mai».

Nella primavera del '92 partecipai ad *Azzurro*, uno spettacolo che faceva Vittorio Salvetti a Bari per Italia 1, e incontrai Luca Carboni. Parlammo del piú e del meno e scattò qualcosa, ci stavamo simpatici. Ci furono due interviste incrociate a nostra insaputa in cui io dicevo che mi era piaciuto il suo disco (quello di *Mare mare*) e lui tempo prima aveva detto che mentre faceva quel disco aveva ascoltato molto *Una tribú che balla* e gli era piaciuto. Bisogna considerare che io prima di quel suo disco non ero mai stato un suo vero fan e lui altrettanto.

Passarono i giorni e non c'era Twitter e nemmeno Facebook e nemmeno le mail, il cellulare però c'era e lui mi telefonò e mi disse dove sei, e io ero a Milano e lui disse vengo su che ti devo parlare cinque minuti. Ok, vediamoci al chiosco di corso Sempione, gli risposi, all'epoca quello era quasi il mio ufficio, oltre a essere la mia mensa e il mio dopolavoro.

Al chiosco di corso Sempione hanno uno stereo dove negli anni '90 ho testato tutti i miei dischi mentre li stavamo registrando in studio. La notte, dopo le registrazioni, prendevo una cassetta, poi un cd quando vennero fuori quelli registrabili, lo portavo lí e coglievo le reazioni degli avventori notturni. Ora con YouTube e compagnia bella non si possono piú fare queste cose. Oggi è difficile restare fuori dal radar a comando.

Luca arrivò subito al sodo. Finisco il mio tour nei palazzetti adesso, mi disse, perché in autunno non facciamo un tour insieme? Una cosa

che non si fa da *Banana Republic*. Però facciamo tutto noi con i nostri musicisti, senza produttori esterni, ci paghiamo tutto e decidiamo
tutto noi e se resta qualcosa lo dividiamo a metà. Gli dissi subito sí.
   Carboni-Jovanotti!
   La sera stessa disegnai il manifesto, che poi è rimasto quello, fatto con i pennarelli.

   Bisogna considerare che lui allora riempiva i palazzetti, e io invece non riempivo nemmeno una discoteca. Non avevo avuto ancora
l'occasione di dimostrare che potevo essere forte dal vivo, con una
band vera. Lo dissi a Cecchetto che era ancora il mio discografico e
lui non era convinto. Tu non sei un cantautore, disse. È vero, pensai,
ma c'è qualcosa che mi piace molto in questa idea. E poi mi piaceva Luca, come persona, quello che pensava, avevo tanto da imparare
da lui. Mi ha insegnato moltissimo, ma in certe cose lui è piú bravo
e resterà sempre piú bravo, è uno che sa bene cos'è una canzone. Io
non l'avevo capito subito, sí c'erano certi pezzi, come *Fragole buone
buone* o *Ci stiamo sbagliando* (che sono dell'84), che mi erano piaciuti,
ma poi è uscito il suo disco del '92, quello con *Mare mare* e *Fisico be-
stiale* che era lampante quanto fossero potenti e belli, e mi ci sono
sintonizzato alla grande. Era un disco italiano che suonava moderno,
senza quel solito suono pop-rock che a lungo andare appiattisce tutte le canzoni pop nel nostro paese, e adesso con i talent show la cosa
è ancora piú evidente. Siamo l'unico paese al mondo che continua a
insistere sul pop-rock, una delle ibridazioni musicali piú rassicuranti
e meno avanzate. Comunque ognuno può e deve fare quello che gli
pare, solo che a volte dispiace sentire voci belle come quelle di certi
cantanti italiani appoggiarsi su queste produzioni misere e all'insegna
di un suono conservatore.

   È che tutti noi amiamo che i nostri pezzi passino nelle radio, e
pensiamo che alle radio piacciano le cose normali e invece le radio
se gli dai una cosa forte e innovativa sono contente di passarla. Le
mie piú grandi hit radiofoniche sono state le mie canzoni piú fuori
dagli schemi, anche dagli schemi che io stesso avevo tracciato in
precedenza.

Mi trasferii a Bologna a casa di un'amica di Luca Lazzaris, che a quel tempo era il manager di Luca. Ci si vedeva in studio da Mauro Malavasi poi a cena da Napoleone poi a fare l'alba da qualche parte. Con noi c'era anche Giancarlo Sforza, che è rimasto con me in tutte le mie tournée a disegnare palchi e produzioni. Ci inventammo il palco, la scenografia, la scaletta, tutto. Si faceva della gran filosofia e Malavasi era il nostro guru.

Si decise per sette date secche, non una di piú.

Facemmo delle interviste nelle radio per presentare l'idea che venne presa bene, infatti le prevendite furono buone, esaurimmo tutti e sette i palazzetti, e avremmo potuto continuare all'infinito ma avevamo detto sette e sette furono.

Durante le prove da Malavasi, Luca venne fuori con quel pezzo degli Extreme, *More Than Words* per farne una canzone natalizia. Scrivemmo il testo insieme a casa sua a Bologna, e gli Extreme ci accordarono il permesso per registrarla. Era la prima volta che io cantavo, nel senso proprio di fare una melodia che non mi fosse uscita spontanea direttamente al microfono (come era successo con le mie canzoni «melodiche» fino ad allora, *Ciao mamma*, *Ragazzo fortunato* eccetera eccetera).

Lo spettacolo poi era bellissimo, o almeno io me lo ricordo cosí. Inizio pazzesco, e anche il seguito, fino alla fine. Suonavo nei palazzi dello sport per la prima volta e la cosa mi piaceva parecchio. Poi ho cercato di fare sempre spettacoli che assomigliassero a quello. Io e Luca dividevamo tutto, anche il camerino, e anche in macchina quasi sempre si viaggiava insieme, e c'è anche da dire che io, Lorenzo Cherubini, e Luca Carboni, facciamo la firma identica, non si distinguono da quanto sono uguali, potremmo firmarci le giustificazioni a vicenda.

C'era sempre la sua ragazza, Marina, che per lui era proprio perfetta, il loro rapporto mi piaceva molto, e lí intravidi la possibilità che una carriera artistica si conciliasse con l'amore, io che invece ancora ero uno non proprio serio nei rapporti. Loro poi si sono fatti una famiglia, e anche io poi l'ho fatto ma è iniziato tutto due anni dopo. Ci vuole la persona giusta e non è che si trovi in una scatola di montaggio.

ID. PJ. | DATE 2011
NOM LORENZO
Nº 27 | TAILLE XL

Il tour fu un trionfo. Quando Claudio Cecchetto venne alla prova generale mi disse avevi ragione, e io lo apprezzai, sono queste le cose di cui è fatta un'amicizia.

Un trionfo. Non uso questa parola a caso. C'era un signore, un certo Cremonini che poi è morto di vecchiaia, che era stato uno dei grandi fautori della scuola di cantautori di Bologna e il primo produttore di Lucio Dalla, e questo vecchio simpatico come pochi faceva spesso l'alba con noi. Di fronte a certe brioche e a certi cappuccini esclamava «è un trionfo» e giú a ridere. E allora per tutto il tour noi non perdevamo occasione di dirci tra di noi «è un trionfo, casso, è un trionfo!»

Luca mi ha introdotto alla musica dei cantautori, che io avevo frequentato solo attraverso le orecchie dei miei fratelli maggiori, facendomi scoprire la bellezza della musica di Conte, che lui adora, di De Gregori, di Guccini. Io ho sempre avuto bisogno di un muro ritmico intorno mentre Luca cercava l'esatto opposto e da lui ho imparato a focalizzarmi su un modo di scrivere costruito sulle immagini, canzoni che ascoltandole facciano «vedere» cose.

Un trionfo, ecco cosa è stato per me quel tour, e un trionfo la nostra amicizia.

Il disco e il tour mi avevano riportato in una zona di successo promettente, che aspettava solo di essere confermato da un disco bomba, che sbaragliasse il campo.

Ci voleva *Lorenzo 1994*.

All'inizio del '93 presi una sala prove a Milano per due o tre giorni e chiamai Saturnino col suo basso e Pier Foschi che in quegli anni è stato il mio batterista. Cominciammo a registrare sul mio walkman a cassette tutto quello che usciva fuori.

Io come sempre dirigevo il traffico o lo creavo, facevo il dj con i musicisti invece che con i dischi, spingendo i flussi da una parte e dall'altra, cercando di muovere gli eventi a favore di qualcosa che mi facesse provare quel brivido che in genere è l'inizio di qualcosa di buono.

Con il sound di Rick Rubin nel cuore cercavo un pezzo con quel tipo di semplicità e di impatto, che fosse diverso da tutto quello che c'era in giro ma che fosse accogliente, un posto per piú gente possibile e che ci stesse da dio, tutta questa gente. In quegli anni c'era anche l'acid jazz, una moda musicale inglese, che aveva riacceso una certa lampadina soul funk nella stanza della musica pop. A me l'acid jazz piaceva molto anche se la maggior parte di quelle cose non hanno resistito al passare del tempo. In quella sala prove tra tutte le cose che registrammo ce n'era una che funzionava, e che anche senza le strofe era già chiaramente una pietra grezza che brillava forte.

Era il groove di *Penso positivo*, che all'inizio era solo quello e la frase «io penso positivo perché son vivo perché son vivo». Mi girava in testa incessantemente, sapevo che il nuovo disco sarebbe partito da lí. Dopo un paio di mesi affittai di nuovo quella sala prove, il

Jungle Sound, perché avevo le strofe e volevo sentire se funzionavano. Funzionavano.

Era ora di entrare in studio e mettere insieme un disco.

Giravo con un cd con quel groove strumentale che durava mezz'ora in loop e lo tenevo alto in macchina. Una notte misi il cd nello stereo del chiosco di corso Sempione come se fosse una cosa qualsiasi di un altro e i clienti battevano il tempo, mi domandavano che disco era e di chi era, volevano comprarlo.

Una sera in macchina mi venne la frase «io credo che a questo mondo...» e la scrissi nel quaderno che mi portavo sempre dietro (adesso uso il cellulare). Mi fece uno strano effetto, non mi piaceva come frase, era controversa ma era vera, diceva una cosa che io sentivo sul serio, per quanto strana e difficile da digerire. Io davvero credevo in quella grande chiesa. Credevo e credo ancora in quello spirito che spinge la gente a mettersi in gioco senza mediazioni, a incarnare le piú accese contraddizioni ma senza rinunciare all'azione, al di là di ogni possibile definizione e giudizio.

Non si può mai fare affidamento sul giudizio dei contemporanei, ci sono troppi elementi di passaggio che lo determinano, per questo ero attratto da figure che non si sottraevano a nessun giudizio ma allo stesso tempo non se ne facevano condizionare.

Avevo letto cose su Madre Teresa che non erano un ritratto rose e fiori della celebre suora e allo stesso tempo al concertone del primo maggio a San Giovanni e ovunque ci fosse una folla di giovani si vedevano tutte queste bandiere di Che Guevara come fosse un cristo, un eroe limpido. Erano anni in cui le ideologie venivano giú come tendoni di circo «spicchettati» e io ero tra quelli che, anche senza volerlo, stavano staccando da terra quei picchetti. Non stavo sotto al tendone, non c'ero mai stato. Chiesa cattolica, internazionalismo, ecologismo, giustizia sociale, utopia, pacifismo, guerre balcaniche, Iraq, internet che nasceva, nuove droghe e vecchie tossicodipendenze, Aids, corruzione, mani pulite, preti di strada, crisi della famiglia tradizionale, globalizzazione, stragi di mafia, lotta alla mafia, tutte queste cose in simultanea. Un corto circuito. Per carattere io avevo un bisogno fortissimo di rivolgere tutto questo in senso costruttivo, di vedere il solito bicchiere non pieno a metà, ma TUTTO pieno, anzi, volevo farlo traboccare. *Penso positivo* era questa intenzione tradotta in musica.

Nell'aria c'era bisogno di qualcosa che offrisse un punto di vista propulsivo, a me serviva, ne avevo bisogno, e quella canzone nacque da quello stato d'animo.

Uno stato d'animo inquieto e combattivo rafforzato dal fatto che nella scena politica italiana era apparso Berlusconi e la gente sembrava molto disposta a dargli retta. Berlusconi puntava a trasformare tutto in qualcosa che piacesse a lui, ma un paese non è un disco che te lo fai come ti pare.

Lui offriva una visione fresca, pubblicitaria e antideologica della politica, lo capisco, ma quella visione aveva il grande limite di mancare totalmente di epica, era tutta una messa in scena e basta, proponeva modelli al ribasso, senza bellezza, senza calore, senza ispirazione. Quel «nuovo miracolo italiano» scritto sui cartelloni mi sembrava una bella fregatura, come una pubblicità per i boccaloni.

Io che ho un lato piuttosto boccalone posso dirlo.

Questa cosa la sentivo forte e volevo oppormi con i miei strumenti, che erano e sono quelli delle canzoni, *musica leggera,* quindi poco adatta a lottare contro una valanga gigantesca come quella messa in atto da quel signore.

Penso positivo non voleva essere un manifesto di sinistra e nemmeno contro Berlusconi, era quel «non fa male non fa male!» che l'allenatore di Rocky continua a ripetergli mentre lui prende una mitragliata di cazzotti sul ring fino a che Rocky stesso non inizia a ripeterla come un mantra tanto da riuscire a ribaltare le sue sorti e a vincere contro il bestione di turno.

Registrarla fu veloce, lo studio era nel seminterrato di casa di Michele a Forlí dove viveva coi genitori, e la batteria la registrammo allungando i cavi fino al garage perché nello studio una batteria vera non ci sarebbe entrata. La struttura della canzone la improvvisai dando io le indicazioni in diretta per gli stacchi, a istinto. Fatta la base di basso e batteria il pezzo era praticamente finito, il resto sono pochi dettagli messi lí a creare un po' di diversivo. La canzone è tutta su un unico accordo in modo che ci si possa concentrare solo sul groove e sulle parole. Poi c'è tutta una serie di stop musicali che fa in modo che il pezzo sembri ripartire continuamente. Amo gli stop, li ho sempre amati, è una cosa che viene dalla dance dove si fanno pause di caricamento prima delle esplosioni ritmiche. Nella dance di oggi questo concetto è condotto all'estremo e ci sono pezzi che sono una pausa unica e non parte mai nulla, come un'attesa spasmodica che non raggiunge mai l'orgasmo. Questa tendenza racconta di un mondo che considera ogni cosa preliminare a qualcosa, all'infinito. Non so se mi piace questo mondo, ma di fatto è un po' il mio mondo.

Dopo *Penso positivo* venne fuori *Serenata rap*.

Tutt'altra strada: stavolta scrissi le parole senza avere un'idea musicale. Iniziai dal titolo, e buttai giú le strofe in pochi minuti.

La forza delle parole in una canzone l'avevo intuita da bambino, attraverso le cose che ascoltavano i miei fratelli, specialmente Umberto che era un grande appassionato di cantautori. Lui amava De André, Bennato, Branduardi, Guccini. Poi l'avevo dimenticata a vantaggio di una musica che fosse puro sound senza nessuna attenzione per il testo. Furono i Public Enemy, il gruppo rap, a farmi innamorare dell'idea che un groove e un testo con i controcoglioni fossero un'accoppiata irresistibile. Le canzoni dei Public Enemy le imparavo a memoria, traducevo i testi per capire gli stratagemmi. *Penso positivo* non esisterebbe se non avessi assorbito il loro stile, dal quale poi ero risalito a tutta una lunga storia di musica specialmente black che univa il ballo alla presa di coscienza: James Brown, Gil Scott-Heron, Bob Marley, Nina Simone, Last Poets e via cosí fino ai Public Enemy, per l'appunto, che adoravo.

Quando vennero in Italia ero ancora a Radio Deejay e li intervistai nel mio show del pomeriggio. Mi ero preparato meglio che potevo, pronto a tutto, anche a essere maltrattato da quel gruppo famoso per

non andarci leggero con i bianchi. Chuck D fu molto gentile e generoso, e venne fuori una bella intervista. Credo che lui avesse sentito da subito che di fronte aveva un ammiratore onesto, uno che lo rispettava come persona e come artista. Qualche anno dopo i Public Enemy pubblicarono un loro «best» e alla fine di un pezzo usarono la registrazione di quell'intervista con la mia voce che dice «Public Enemy». Una vera gioia.

Con *Penso positivo* e *Serenata rap* in tasca il resto del disco era da sbizzarrirsi, potevo fare quello che volevo, avevo due singoli potenti, e il resto volevo che fosse il massimo della libertà, pura libidine. Ci abbiamo messo nove mesi a fare l'album proprio perché stare in studio mi piaceva da matti e non sarei mai uscito, fosse per me sarei ancora in studio a fare *Lorenzo 1994*.

È una vera fortuna beccare subito un paio di singoli quando si fa un disco, perché poi il resto diventa un vero divertimento e nel divertimento è molto probabile che nascano altri singoli forti. *Lorenzo 1994* era una bomba di album, io lo sapevo bene, non avevo mai fatto un disco cosí bello e da quel momento tutti i miei dischi se la sono dovuta giocare con quell'album.

Claudio mi consigliò di fare *Serenata rap* come primo singolo perché secondo lui aveva un potenziale pop e radiofonico molto piú forte di *Penso positivo*. Aveva ragione ma *Penso positivo* era un manifesto, un pugno nello stomaco, ed era quello che volevo che fosse, e io avrei voluto che uscisse per prima. Comunque alla fine accettai il suo consiglio e in autunno si decise che il primo singolo sarebbe stato *Serenata rap*. Andammo nella sala di mastering dove si confezionano i dischi, l'ultimo passaggio prima che vengano pubblicati. Me ne stavo buono convincendomi che fosse la scelta giusta. Poi la notte non chiusi occhio e all'alba chiamai Claudio e gli dissi che non me la sentivo, che mi sarei preso la responsabilità di un eventuale flop radiofonico ma il primo singolo doveva essere *Penso positivo*. Claudio è un fuoriclasse e sapeva che quella mia convinzione valeva piú di un ritornello da numero uno in classifica e mi disse ok fermiamo tutto rifacciamo il mastering, facciamo come dici tu.

Penso positivo durava cinque minuti e venti, fuori standard per un singolo radiofonico, ma il pezzo era muscoloso, affilato e diverso da tutto e divenne uno dei pezzi piú famosi della musica italiana nel giro di un paio di settimane. Credo di non aver mai fatto un concerto senza aver suonato *Penso positivo*.

L'ho suonata in qualsiasi versione, a tutte le velocità, tutte le durate e tutte le tonalità del mondo. Ogni volta che la suono mi ci tuffo dentro, mi sento trasportato dalla sua onda, e penso veramente positivo, in quel momento.

Il pubblico se ne accorge che lí non si sta scherzando, che quella è un'affermazione di energia vitale autentica, e si lascia andare.

[Ogni mia canzone per cosí dire riuscita è il ritratto di una metà di me, perché potrei scrivere l'altra canzone, quella che dice l'altra metà, ma non ne ho mai avuto il talento e forse il coraggio. Prendiamo *Penso positivo*, è chiaro che ci starebbe anche una Penso negativo, e mi rappresenterebbe altrettanto fedelmente, ma in questo caso faccio una scelta perché la cosa che sopporterei meno è una canzone che dice penso sia positivo che negativo (come è nella realtà della vita). Molti miei colleghi nella storia hanno preferito scrivere la loro Penso negativo e cosí io ho voluto evidenziare l'altra parte della faccenda. Stesso discorso per *Non m'annoio*, a volte mi annoio, come tutti. Di questo tipo di canzoni ne ho fatte a quintali: *Go Jovanotti Go* (Stay Jovanotti Stay), *Mix* (Separa), *Ciao mamma* (Addio madre mia), *Gente della notte* (Gente che va a letto presto), *Ragazzo fortunato* (Ragazzo sfigato), *Attaccami la spina* (Scollegatemi), *Piove* (Arido)].

Nel '94 ho fatto un tour con Pino Daniele e Eros Ramazzotti. Una cosa davvero inaspettata. Quel tour nacque da un'idea del nostro impresario comune, Maurizio Salvadori, che ancora oggi produce i miei tour.

Eros aveva appena fatto un grande tour mondiale con una megaproduzione che poteva essere ancora sfruttata per l'Italia dove lui aveva già fatto tante date l'anno prima, ma ci voleva un'idea forte. Salvadori ebbe l'idea di farci girare gli stadi insieme, noi tre, che eravamo sotto contratto con lui, senza una motivazione artistica forte alla base se non quella di creare un evento di successo.

Io avevo e ho tutt'ora una venerazione artistica per Pino Daniele che ha fatto alcuni dei dischi piú belli della nostra storia musicale. Eros mi piaceva, non tanto musicalmente, che siamo sempre stati diversissimi, ma per quello che è, le sue canzoni lo raccontano, armonie e tempi completamente diversi dai miei. Quando lo vidi a Sanremo a cantare *Terra promessa* io ero un dj e mi fu chiaro da subito che quello era uno fortissimo che avrebbe avuto un successo pazzesco, non c'era da essere preveggenti per capirlo, era lampante. Eros ha una voce da un milione di dollari, ha un bancomat nelle corde vocali, lui canta e tutti in ogni parte del mondo lo riconoscono al volo, e volenti o nolenti si ricorderanno per sempre di quel timbro, di quel modo di cantare inconfondibile. Una bella grinta e un talento naturale uniti a orizzonti ampi sono una miscela esplosiva. Di Eros mi piace il suo pensare in grande, la meravigliosa traiettoria del ragazzo che dalla periferia di Roma arriva in vetta ai cuori di mezzo mondo, anche piú di mezzo, cantando in una lingua esotica come è oggi l'italiano. Eros è forte, generoso, se vuole esserlo, e spesso vuole esserlo, con me lo è stato spesso.

Ci incontrammo in un albergo dalle parti di Salsomaggiore, non mi ricordo perché proprio dalle parti di Salsomaggiore, non mi pare che ci fosse di mezzo l'elezione di qualche miss Italia ma non potrei scommetterci. Dieci concerti insieme. Uno sponsor avrebbe coperto gran parte delle spese e garantito un grande lancio di spot in tv. La proposta era allettante e per me voleva dire dividere il palco con due veri numeri uno e per la prima volta suonare negli stadi, di fronte a una barca di gente, soprattutto a molta gente che non mi aveva mai visto dal vivo e che magari aveva qualche pregiudizio nei miei confronti.

Farsi vedere da piú gente possibile è importante, superare i confini del proprio pubblico di riferimento è un modo per migliorarsi, per mettersi alla prova.

Perfetto, era una bellissima occasione.

Pino ed Eros sono due caratterini mica da ridere e la costruzione di quel tour è stata un'avventura divertente con qualche momento di favolosa tensione tra superstar. La mia natura è piuttosto diplomatica e tendo a essere conciliante, in quel tour mi comportai come Kofi Annan tra Arafat e Simon Peres. Se c'è una cosa che può mettere sempre a posto tutto è la musica, vale un po' come il letto per una coppia, ci possono essere divergenze ma nessuna divergenza è mai abbastanza profonda da non poterla aggiustare suonando insieme. E infatti alla fine quella ciambellona sbilenca nata un po' a tavolino venne fuori col buco e io ho solo ricordi belli, anche di certe litigate su chi doveva fare cosa e quel sospetto che è durato per tutto il tour sul fatto che l'addetto agli amplificatori, un tecnico di Ramazzotti, alzasse il volume quando sul palco c'era Eros.

In quel tour mi vide gente che non si sarebbe mai sognata di venire a un mio concerto e invece poi è tornata anche quando il nome in cartellone era solo il mio.

Quando ho cominciato i giornalisti erano tutti molto piú grandi di me, e mi guardavano come se fossi un moscerino che stava per schiacciarsi sul parabrezza dello show business. Avevano un'aria vagamente paternalistica e questa cosa non mi dispiaceva. Ma serve che ci sia un po' di onesta tensione quando si fa un'intervista, se il giornalista e il cantante sono compagni di merende non funziona, non c'è verso.

La mia prima intervista non me la ricordo proprio, forse fu per «Ciao 2001» quando avevo pubblicato *Walking*, il mio primo 12 pollici. In 25 anni ne ho fatte tantissime, e non mi sono mai sottratto alla possibilità di confrontarmi con un giornalista perché un'intervista può sempre essere un modo per chiarire certe cose anche a me stesso, un po' come andare dallo psicologo, che se è bravo ti tira fuori roba che pensavi di tenerti per te. Oggi le interviste che interessano i giornali di grande tiratura qualche volta hanno poco a che fare con la musica, l'arte, il processo creativo, le canzoni, ma hanno a cuore solo cose che servano per fare un titolo che attiri l'attenzione del lettore distratto medio.

Se in due ore e cinque minuti di chiacchierata per due ore uno parla di musica e per cinque minuti di un leggero fastidio a un'unghia incarnita forse il titolo dell'articolo sarà «sto perdendo l'alluce, sono disperato», basta saperlo. A volte va cosí, e alla fine, a essere onesti, anche io tendo a gettare l'occhio prima di tutto sulla colonna di destra dei siti di notizie, quella che parla di cani a due teste e di cantanti che si rifanno le labbra.

Quando si fa un disco si sanno tante cose su quello che si sta facendo, ma molte delle cose che si fanno si fanno senza sapere perché, si ignora il modo in cui il lavoro verrà accolto fuori dallo studio di registrazione e un giornalista in gamba può aiutarmi a capire qualcosa in piú su quello che ho fatto, come la maestra di mia figlia che mi dice come si comporta fuori di casa, quando esce dalla giurisdizione dei genitori.

L'attesa davanti allo studio televisivo di Enzo Biagi fu come stare fuori dalla porta dell'esame di maturità. Si registrò il pomeriggio e io la messa in onda non la guardai perché sentivo di non essere stato come avrei voluto, le sue domande erano quelle di un nonno a un nipote che tornava da un viaggio e avevo dato risposte rassicuranti, quelle che si danno ai nonni. Una delle cose che mi mancano di piú del mio passato recente è di telefonare alla mia mamma per dirle cose tipo stasera guardami su Rai Uno mi intervista Biagi, e sentirla commuoversi di orgoglio.

Un altro esame di maturità fu «La Voce». Io non ero esattamente un lettore accanito di quotidiani, all'epoca, ma in giro si parlava molto del giornale che Indro Montanelli aveva fondato dopo aver tagliato con Berlusconi. E comunque Montanelli era quello che era, una colonna in mezzo alla piazza principale, il traffico era costretto a girarci intorno, non poteva fare finta che non ci fosse. Una mattina mi chiamò un giovane giornalista, Aldo Vitali, che mi propose anche a nome del direttore di scrivere una rubrica nella pagina della cultura. Non era uno scherzo. Si chiamava *Penso positivo* come la mia canzone e accettai, senza aver mai fatto nulla di simile prima. Andò avanti per un anno poi il giornale chiuse i battenti e con lui la mia rubrica. Non erano pezzi memorabili, e infatti io stesso non me ne ricordo nemmeno uno, però essere scritturati da Montanelli faceva un certo effetto e la considero una medaglia sul mio petto, una medaglia al valore, prima di tutto al valore di Montanelli.

A tutti i non-nati, a tutti i nascituri, a tutti gli innocenti grumetti
di indifferenziata nientità: Alla larga dalla vita!
Io me la sono beccata, la vita. Io mi sono ammalato di vita.
Ero anch'io un batuffolo di indifferenziata nientità, e poi, pifff,
s'è aperto all'improvviso uno spiraglio, uno spioncino.
Luce e rumore si sono riversati dentro il nulla.
Delle voci hanno cominciato a descrivere me e il mio ambiente.
Non potevo reclamare contro quello che dicevano, né ricorrere
    in appello.
Dicevano che ero un maschio a nome Rudolph Waltz, e questo
    era quanto.
Dicevano che si era nell'anno 1932, e questo era quanto.
Dicevano che mi trovavo a Midland City, nell'Ohio, USA
e anche questo era inoppugnabile.
Non s'azzittivano mai. Anno dopo anno, ammucchiavano
    dettaglio su dettaglio.
Ancora seguitano. Lo sapete cosa dicono adesso?
Dicono che siamo nel 1982, e che io ho cinquant'anni.
Bla bla bla.

KURT VONNEGUT, *Il grande tiratore*

Oggi quasi tutte le mie opinioni si sono radunate intorno a un nucleo molto duro dove si conserva una parola: energia. Per me non esiste piú nulla che possa stare protetto in un recinto del genere destra/sinistra, giusto/sbagliato, bianco/nero, etico/non etico, alla fine l'unica cosa in cui credo è l'energia che è nelle persone e nelle cose. Quello che Chico Buarque si domanda cosa sia, nella sua canzone *Que será*, una delle mie preferite in assoluto nella storia della musica.

Il Brasile di sicuro è stata una gran bella scoperta, musicalmente parlando. È stata la musica popolare brasiliana, che ho incontrato negli anni '90, a farmi muovere verso canzoni romantiche che trattassero l'amore non nel senso di perdita ma nel senso di dono. Capita che qualcuno mi dica che le mie canzoni d'amore non sono tristi come quasi tutte le canzoni d'amore, per questo gli piacciono. Premetto che io amo le canzoni tristi, tipo certi boleros latini eccetera eccetera ma è vero che ho tentato di scrivere canzoni d'amore che fossero delle serenate, da cantare per far sentire bene la mia donna, per farla sentire unica al mondo, perché mi desse un bacio in bocca subito dopo avergliela cantata e si rinnovasse cosí quella cosa che scorre tra di noi. Ammetto che la perdita sia il motore piú potente per ogni tipo di ispirazione poetica ma penso anche che si possa tentare di ribaltare di netto la questione.

I brasiliani hanno canzoni come *Flor de lis* di Djavan oppure *La ragazza di Ipanema*, *Você é linda* di Caetano Veloso, che sono dei fiori da regalare a una donna, e se non avessi sentito quelle canzoni probabilmente non mi sarebbe mai venuta la voglia di trovare una mia via a quella forma. Tra le cose che amo dei grandi autori brasiliani c'è prima di tutto il saper scrivere canzoni davvero accoglienti. Popolari nel senso piú bello, ovvero che non c'è bisogno di un titolo di studio per amarle ma non c'è nemmeno bisogno di non averlo perché emozionino. Canzoni come *Águas de março* o *Mas que nada* sono lí per tutti, come un albero o come un bar su una spiaggia libera gestito con cura da gente che ci tiene.

Il sogno, è tutto dire, e dire tutto:
mi srotolo la lingua e, non so bene
se devo vergognarmene, ma ti dirò che mi sto riconciliando,
    a piccolissimi
passi con il mondo.

EDOARDO SANGUINETI, *Scartabello*

Bisogna innamorarsi del mondo, è necessario navigare, come dice la massima latina. Viaggiare è un desiderio che è dentro di me da quando sono bambino. L'ho detto e ridetto fino a diventare noioso, le carte geografiche sono state tra le mie letture preferite per una bella fetta della mia infanzia e adolescenza. L'atlante azzurro che è ancora nella libreria di casa dei miei è tutto consumato, neanche fosse la *Divina Commedia* che ha Benigni sulla sua scrivania.

Certe sere apro Google Earth e giro a caso, un *vagabonding* virtuale che mi commuove.

Sono stato in Africa, spesso in Sudamerica, in Asia, nei Paesi arabi, sono tornato decine di volte negli Stati Uniti, e sempre con l'intenzione di perdermi in qualcosa che facesse scoccare qualche scintilla, di leggere una pagina nuova del libro del mondo.

In fondo è sempre una canzone quello che sono andato a cercare, una specie di virus da isolare e da portare a casa per contagiare tutti, in senso buono, musicale, lirico.

Dopo aver fatto il militare sono stato per la prima volta negli Stati Uniti per un mese, avevo in tasca un bel po' di soldi per uno della mia età, il frutto della vendita dei miei primi due album, e non pensavo molto a trattenermi dal comprare cose inutili e anche costose. Borse piene di scarpe da basket, giubbotti, magliette, cappelli, aggeggi tecnologici, tutto quello che vedevo – e in America non si finisce mai di vedere cose da comprare – io lo compravo, riempivo scatoloni e spedivo tutto in Italia. Una bicicletta, alcuni «chiodi» di pelle originali dell'epoca del rock'n'roll, libri fotografici di ogni tipo, chitarre elettriche, orologi di marca, gadget ridicoli e curiosi, centinaia di dischi in vinile.

Dopo l'America sono voluto andare dall'altra parte, anche se a solo 80 miglia da lí. Cuba, l'isola di Fidel Castro e di Che Guevara. Ci arrivai partendo da Miami con uno scalo a Santo Domingo. Erano gli anni piú difficili per l'isola e il suo sistema sociale. Non c'era luce elettrica tranne che per un'oretta al giorno, c'era poco cibo, non c'era benzina. Il muro di Berlino era caduto da poco e si era portato giú tutto il castello di sabbia del patrocinio sovietico verso l'isola. Io non ne sapevo tanto di queste faccende. Mi attirava la parte del mito, come a tanti, quello della rivoluzione, parola magica per chi come me non l'associava a sangue e perdita, ma a quell'idea del quanto basta perché tutti abbiano di che sfamarsi ed essere felici. La parola Cuba evocava telegiornali all'ora di pranzo negli anni delle medie, e come è spesso successo, in quel viaggio sono andato a inseguire le parole che risuonavano nelle mie orecchie.

Ci andai con Gianni Ghidini, un mio caro amico che è fotografo e che conobbi a Milano quando si trattò di fare il mio primo vero servizio fotografico, per la copertina di *Jovanotti for president*. Legammo da subito e da allora ha firmato tutte le copertine dei miei album tranne *La mia moto* e ha fatto anche da padrino al battesimo di Teresa, insieme a sua moglie Malena, americana dell'Illinois con origini messicane.

Gianni parla pochissimo e io sono in grado di non parlare anche per una settimana intera senza che il silenzio generi mai imbarazzo. Parlare mi piace molto, ma il silenzio è una condizione che so apprezzare. In quel viaggio guardammo, senza dire quasi nulla.

Non andammo certo a Cuba a cercare consolazioni ideologiche o il contrario: stavamo cercando qualcosa da imparare, qualcosa che non avevamo mai visto, e insieme qualcosa da ricordare, pezzi della nostra vita, del nostro futuro e della nostra memoria.

E io inseguivo la musica.

Cuba mi piacque perché mi faceva sentire vivo e mi presentava scenari per riflettere su un sacco di cose, mi metteva in contatto con un mondo di utopia e di fallimento, una cosa davvero molto umana, proprio peculiare dell'essere umano, questo animale la cui caratteristica piú spiccata è l'essere contraddittorio, paradossale, grande e misero in simultanea. Mi interessava e mi interessa l'aspetto umano della questione, cosa sta dietro a una cosa come la rivoluzione cubana, che è un fatto oggettivamente piccolo ma di portata storica enorme nel proprio secolo. È per la stessa ragione che ho spesso pensato che i fatti narrati nel vangelo sono in fondo cose avvenute a una manciata di persone, in un tempo minuscolo. Oggi siamo abituati al fatto che una cosa piccola diventi globale, basta pensare al potere di un mezzo come YouTube in grado di far diventare celebre in tre giorni un bambino che canta con la voce di Pavarotti o un cane che miagola. Ma nella storia pare che sia sempre andata cosí.

Le cose forti sono forti e anche se sono in tre a viverle poi si espanderanno come i cerchi intorno a un sassolino lanciato nell'acqua.

(Mi domando a volte: se il discorso della montagna l'avessero postato subito su YouTube che cosa sarebbe successo? Mi piacerebbe leggere i commenti sotto al video.)

A La Habana ho trovato la Roma dei primi anni '70 dove sono stato bambino, quei pomeriggi troppo azzurri e lunghi, le poche macchine, la gente che ripara le cose prima di comprarne di nuove. Mi è sembrato di inciampare di colpo in sporgenze del terreno e di accorgermi che si trattava delle mie radici, che si erano trapiantate. In altri viaggi ho vissuto la storia contraria, nei paesi che stanno correndo a rotta di collo verso lo sviluppo, ho scavato per terra e non c'era nulla di fertile, solo cemento. Tutt'e due le volte ho provato una certa incontenibile eccitazione, fino a convincermi che quei due mondi sono i miei due mondi, e io uno che sta sulla porta, in contatto costante con le due realtà. Me ne sono fatto una ragione.

Un pomeriggio stavo camminando da solo per un vicolo di Santa Clara e sentii delle percussioni uscire da un portone. Entrai dentro e trovai un grande cortile all'ombra e dei cubani che suonavano e cantavano. Era una rumba, venni a sapere dopo, una delle ragioni per cui il sistema rivoluzionario dell'isola non è venuto giú al primo colpo di vento, la musica come ammortizzatore sociale naturale. La musica tiene unite le persone e a qualcuno sembrerà strano ma può anche alleviare la sensazione di fame facendola dimenticare momentaneamente. Mi invitarono a unirmi a quella rumba e improvvisai un po' di rap in italiano, non era ancora il tempo del boom di turisti a Cuba e l'accoglienza fu sincera e non finalizzata al rotolino di dollari che si intravedeva sotto alla stoffa della mia tasca, certe cose uno come me le sente senza sapere perché, le sente e basta. Passarono le ore e in quelle ore mi si aprí un mondo fatto di percussioni e di ritmi diversi dal mio solito *bum bum cià* che fino ad allora aveva governato l'idea di musica che mi ero fatto.

L'idea iniziale per *L'ombelico del mondo* ha preso forma quel pomeriggio, era solo un titolo e il desiderio di fare una canzone che avesse un suono nuovo per me ma non c'era ancora nulla, nemmeno il ritmo.

Torniamo sempre lí, al concetto di energia. È come se io cercassi luoghi dove l'energia scaturisce, è come se piantassi pali della luce in giro per poi stendere dei cavi. Una canzone è un centro di gravità, un sole nuovo nello spazio cosmico.

Poi qualche mese dopo mi trovavo a Londra, non mi ricordo bene perché, ma mi ricordo dove, in un locale dalle parti di Portobello dove si faceva musica dal vivo, era il periodo dell'acid jazz e c'erano in giro band che spingevano forte. Partí un assolo strepitoso tra un percussionista e un pianista elettrico, una cosa infinita che sarà durata dai trenta secondi alle cinque ore, non so dirlo bene, e io mi ci persi dentro insieme a tutti quelli che erano pressati in quella stanza, gente di ogni colore come solo a Londra può capitare di trovare. Alla fine di quell'assolo uscii dal locale ed entrai in un fish and chips aperto tutta la notte e sulla carta marrone delle patate fritte mi appuntai le prime due strofe di *L'ombelico del mondo* che fotografavano l'esperienza che avevo appena vissuto.

Con i testi bisogna fare cosí, non lasciarseli sfuggire, ovunque ci si trovi se arriva un'idea bisogna appuntarsela subito, lasciare tutto quello che si sta facendo e darle la precedenza assoluta.

Quella canzone restò sospesa in una forma intermedia per tre anni. Provai a registrarla per *Lorenzo 1994* ma il risultato non mi convinceva, non aveva abbastanza personalità, volava basso. Ci vollero dei viaggi in piú.

Viaggiare è una maniera di comporre e scrivere canzoni attraverso i piedi, è una forma di scrittura attraverso il movimento.

Lorenzo 1994 ebbe un successo senza precedenti e fu un bene che *L'ombelico del mondo* in quella prima versione rimanesse fuori dalla tracklist, non avrebbe aggiunto niente e magari non sarebbe stato neanche un singolo.

Serenata rap era diventata una hit in Sudamerica e questo mi portò in giro per diversi paesi latinoamericani per promuovere il disco quanto basta perché mi innamorassi di quelle città, e soprattutto di quelle musiche e di quei ritmi che uscivano dalle radio. La cumbia, il tango, la bachata, il primo reggaeton, le varie declinazioni del reggae e del dub, la salsa, la musica andina, le canzoni dei gauchos, la samba, il rock latino, la bossa nova, i ritmi del carnevale, i boleros e chi piú ne ha piú ne metta.

La musica latinoamericana ha una grammatica ritmica degna di un'Accademia della Crusca. È musica non scritta ma non meno complessa e strutturata della tradizione classica europea.

Venni fuori da quell'immersione con la voglia di un battito che fosse una mia lettura sintetica di tutta la roba che avevo ascoltato in quei mesi. Talmente sintetica e profana che uscí fuori quel rotolamento che poi è diventato il cuore di *L'ombelico del mondo*. Ci lavorammo cosí tanto tempo per affinarla che a un certo punto mi faceva schifo, non la potevo piú sentire e cominciai a pensare che sarebbe stato un flop senza precedenti e avrebbe annullato tutto il cammino di ricerca di credibilità che mi aveva portato a *Lorenzo 1994*, un album amato anche dalla critica piú spocchiosa. A rincarare la dose ci si mise anche Luca Cersosimo, mio storico collaboratore: a lui, innamorato del soul, dell'hip hop e dell'elettronica, quel pezzo non piaceva e mi sconsigliò di farlo uscire perché mi avrebbe affossato, secondo lui, e a quel punto un po' anche secondo me.

Invece la prima volta che la passarono alla radio, il giorno stesso della sua pubblicazione, mi dovetti ricredere e ritrovai di colpo l'energia che ci avevo messo nel farlo, era una bomba, era diverso da tutto quello che c'era in giro e, cosa importantissima, era diverso da tutto quello che c'era in giro di mio, era una novità. Le radio lo passavano continuamente e quel Capodanno divenne il pezzo preferito a tutte le feste.

Un giorno mi arrivò una notizia dal Medio Oriente, dove *L'ombelico* era in testa alla classifica dei pezzi piú trasmessi dalle radio israeliane e anche da quelle palestinesi, contemporaneamente. Non ci si poteva credere, eppure era vero, perché nella musica succedono anche queste cose. E stavolta stava succedendo nella mia, per l'appunto.

Ci vuole il coraggio ogni giorno, ogni ora, ogni momento.
Coraggio per la demolizione e coraggio per la creazione.
Coraggio dinanzi al ridicolo e coraggio dinanzi all'amore.

GIOVANNI PAPINI, *Marcia del coraggio*

Vi è mai capitato di avere una cosa e di buttarla e poi di correre al cassonetto e infilarci le mani per riprenderla perché vi viene in mente che può servirvi? A me è capitato con alcune canzoni, una di queste è *Bella*, che è stato il primo singolo dell'album *L'albero*.

L'avevo scritta per la colonna sonora di un film che poi non è mai arrivato nemmeno alla sceneggiatura. Era un film americano e la canzone era in finto inglese e si chiamava *Sugar* e diceva qualcosa come *sugar, you're my sugar spoon la la la moon* (*la la la* era perché non avevo ancora le parole adatte). La base era già quella che è rimasta ma non essendoci più il film io di un pezzo in inglese chiamato *Sugar* non sapevo proprio cosa farmene. Cosí lo dimenticai.

Poi mi fidanzai con la Francesca e ripensai a quella melodia e lei lí dentro ci stava benissimo, perché era cosí bella, mi ispirava proprio gli aggettivi che poi compongono la canzone. Tra tutte le parole di *Bella* le mie preferite sono «tu, cosí opportuna» e anche «come la mia nonna in una foto da ragazza», quei due versi valevano un album intero, ai miei occhi, e non avrei mai potuto scriverli anche solo un giorno prima di aver incontrato Francesca.

Con *Bella* iniziai a lavorare a *L'albero*, che è un disco riuscito, uno dei miei preferiti per l'aria che ci si respira dentro. Un'aria di totale assoluta libertà. Lí non troverete nemmeno un suono allineato alla moda del tempo in cui uscí. Voleva essere il viaggio di una persona libera dai condizionamenti, anche da quelli del successo, e arrivando dopo *Lorenzo 1994* e *L'ombelico del mondo* era un bel tuffo nell'ignoto. Non c'è un pezzo che fa il filo all'altro, in quel disco l'unico filo conduttore è il mio modo di vedere le cose, il mio respiro, di corsa, lento, fermo, agitato, innamorato, pensieroso, giocoso, stanco, infervorato, in agguato.

Mi venne la fregola di andare a registrare a Johannesburg, non
so nemmeno bene perché, forse per il suono della parola o semplicemente perché era un posto lontano dove non ero mai stato e dove abitava Nelson Mandela che come minimo anche solo respirando
avrebbe riempito di bellezza e speranza l'aria di quel paese. La realtà
che trovai a Johannesburg non indicava esattamente un rinascimen-
to sociale ma di speranza se ne sentiva parlare e io volevo vedere solo quella, volevo che influenzasse il mio disco, e di conseguenza chi
lo avrebbe ascoltato. Volevo fare un disco bello come un albero di
quelli forti che resistono a tutto e fanno una grande ombra, pieno di
rami e pieno di frutti.

Andammo tutti laggiú in gruppo e ci passammo un mesetto. In
uno studio che poteva essere anche a Lambrate, ma di fatto era a
Johannesburg, in Sudafrica, e nessun italiano era mai stato a registrare laggiú, questo bastava.

Era il mio Capo di Buona Speranza.

Il Capo di Buona Speranza fu raggiunto per la prima volta dal navigatore portoghese Bartolomeu Dias, nel 1487, che lo chiamò «Capo tempestoso»; ma fu Vasco da Gama, nel 1497, a portare a termine per la prima volta il tragitto verso le Indie doppiando Capo di Buona Speranza, come lo ribattezzò il re Giovanni II di Portogallo con riferimento alle interessanti prospettive commerciali che nascevano dalla sua scoperta. Primo capitano nella storia, Da Gama scelse di distaccarsi nettamente dalla costa per poter sfruttare venti migliori.

Wikipedia

Alla fine delle registrazioni io e la Fra noleggiammo un trabiccolo volante che ci portò al Kruger Park a vedere gli animali in libertà. Incontrare un leone nel suo ambiente naturale è come imbattersi in un personaggio famoso. Lo hai visto talmente tante volte nei documentari di *Quark* che quando te lo trovi lí davanti, il leone o il rinoceronte, il primo impulso è quello di chiedergli un autografo.

Bella uscí nelle radio a mezzanotte del 31 dicembre 1996 e l'album fu la prima uscita del '97.

Ci fu un momento, verso la fine di gennaio, che se mi mettevo a girare la sintonia dell'FM italiana beccavo *Bella* di continuo, ininterrottamente. Fu una grande iniezione di entusiasmo per me, considerato che con *L'albero* giocavo una carta nuova, e se immaginiamo quel momento come una partita di black jack era come avere un 20 tra le mani e chiederne ancora. Con quelle due carte, potevo fare hit, chiederne un'altra: un tour nei palazzetti autoprodotto.

Quel tour fu il solito passo piú lungo della gamba e mettemmo insieme una produzione che anche con il sold out finiva per non far quadrare i conti, tanto era tutto sovradimensionato. Avevamo progettato un palco centrale costruito apposta per il tour e usavamo proiezioni avveniristiche che prima di noi avevano collaudato solo i Pink Floyd, tanto per intenderci, gente che quando fa 50 000 paganti a un concerto è andata cosí cosí.

Veniva a vederci un sacco di gente e quel tour, legato a *L'albero*, era davvero qualcosa di nuovo per l'Italia, e non solo. Tre ore e mezzo di concerto a un ritmo micidiale. Il palco era troppo lungo e io non avevo ancora imparato che in certi pezzi si può anche rimanere sul posto e non è mica necessario percorrerlo in lungo e in largo correndo ininterrottamente. Non mi ero allenato abbastanza a stare di fronte al pubblico a quel regime e dopo dieci date cominciai ad avere dolori alla schiena fortissimi e piú di metà tour lo portai avanti pieno di antidolorifici, però ne valeva la pena. Un paio di volte mi portarono anche in un ambulatorio dove mi infilarono un ago nella spina dorsale per infiltrarci qualcosa di miracoloso che per alcuni giorni mi faceva sembrare che la schiena l'avessi affittata a Michael Jordan in persona. Poi il dolore tornava ma io non mollavo, ero stato io a volere quel palco e quello spettacolo e non potevo mica tirarmi indietro ora che eravamo in alto mare.

La sera guardavo le facce delle prime file e mi sentivo proprio bene, nonostante le vicissitudini stavamo facendo una cosa bella e grande e celebravamo la musica e la vita senza risparmiarci un secondo.

In quel tour eravamo talmente presi dalla produzione e dalla fatica che ci dimenticammo di documentarlo in audio e video. Resta impresso nella mia quinta vertebra lombare, che scivolò in avanti di qualche millimetro e non è piú tornata al suo posto.

Finita la parte nei palasport ci voleva un'idea per un tour estivo che non fosse solo la continuazione di quello indoor. Tentai un doppio carpiato a piscina semivuota e mi andò alla stragrande. Contattai le due realtà musicali piú «radicali» in circolazione: CSI e 99 Posse, diversissimi tra loro, quasi agli antipodi, ma entrambi amatissimi da una certa critica e da un certo pubblico di cosiddetti duri e puri. Il contrario esatto di me che i duri e puri li faccio incazzare da sempre. Erano due gruppi che mi piacevano molto e i loro dischi erano sempre in rotazione nello stereo della mia macchina che era sempre in viaggio. Non mi aspettavo un sí da loro e invece arrivò, perché la sfida era interessante. Solo uno spirito di vero punk come quello di Giovanni Lindo Ferretti poteva capire che al momento non c'era niente di piú punk di stare sul palco con Jovanotti. E i 99 Posse avevano una musica forte, potente, di una forza e una potenza diversa dalla mia, con cui mi piaceva mischiarmi. Sono contrario ai recinti musicali, lo sono sempre stato, ed era bello sapere che due dei gruppi piú «recintati» in circolazione la pensavano come me.

Quello che cercavo di fare in quel tour era affermare un principio che mi è molto caro: esiste la musica e la musica è musica, il resto sono solo «chiacchiere e distintivo». Possiamo parlare per ore di tutto quello che c'è intorno ma a un artista sta a cuore la musica e la propria musica non ha nulla da temere a confrontarsi con altra musica, ne potrà uscire solo rafforzata. E se dovesse uscirne indebolita allora vuol dire che non era abbastanza buona.

Andare incontro ciecamente agli umori del pubblico non è sempre un bene, il piú delle volte si finisce per trasformare il proprio mestiere in qualcosa che assomiglia piú a una setta religiosa o a un partito piuttosto che a una scelta artistica e a me questa cosa non piace. Il mio modo di rispettare il pubblico è restare fedele a me stesso a costo di tradire le sue aspettative.

Giovanni Lindo Ferretti è una delle persone piú sorprendenti e brillanti che io abbia mai conosciuto, è un incrocio tra un poeta e un guerriero, lo puoi mettere a cavallo nella landa desolata e non sfigurerà tanto quanto sarà perfetto su un pulpito a recitare salmi. Lui è stata ed è l'unica via italiana al punk, intrisa di comunismo e cattolicesimo, cultura operaia e contadina. Il minimo che possa fare un punk come lui nel 2012 è dichiararsi piú d'accordo con il papa che con il Pd e dicendo questo affermare che la realtà non è mai semplificabile, a meno che non la si voglia ridurre a una macchietta. I tre album incisi dai CSI sono il meglio della musica italiana degli anni '90, secondo il mio modo di vedere le cose. Esclusi i miei, è chiaro, ma lí sono di parte, e qui dovrei mettere la faccina ;-) ma non lo faccio… ah, l'ho fatto.

Con Ferretti ci sentiamo ancora, e non passa mai una stagione senza che io mi proponga di andarlo a trovare lassú su quel crinale lontano da tutto dove vive. Su una mensola dove conservo una specie di altare di oggetti per me «sacri» c'è al centro una tavoletta con un Buddha dipinto a mano che lui mi regalò alla fine di quel tour. Con i ragazzi dei 99 Posse ci siamo un po' persi di vista ma è rimasta la bella sensazione di quel tour. Qualche volta ci siamo incrociati da qualche parte e l'abbraccio è sempre il piú sincero e caldo, come di gente che ha qualcosa di memorabile che li unirà.

La mia storia artistica di questi 25 anni si divide in prima e dopo la mia vita di coppia con quella che poi è diventata mia moglie: Francesca. In parole povere prima era una cosa poi è diventata tutta un'altra storia. È come se a un certo punto mi fosse spuntata un'ala, o una ruota, o un nuovo paio di antenne aggiuntive, come se avessi scoperto una parte della mia vita che stava sigillata in qualche stanza e che lei mi ha aperto.

Infatti una notte, i primi tempi che dormivamo insieme, ho anche fatto un sogno proprio cosí: ero in casa e scoprivo che dietro a una libreria c'era una porta e dietro quella porta una grande stanza col soffitto di vetro, piena di luce e vuota di tutto.

Se molte mie canzoni hanno preso una piega romantica non è colpa mia, ma responsabilità sua, perché è lei che me l'ha evocata, se non l'avessi incontrata avrei continuato a parlare di cose come il ritmo, la politica, fare il ganzo, pompare le casse, la spiritualità, tutte cose che sono convinto siano molto meno importanti dell'amore, se uno vuole proprio fare una classifica.

Quando mi sono fidanzato con Francesca siamo andati a vivere insieme quasi subito, lei ha mollato l'università a cinque esami dalla laurea e mi ha seguito, anzi sono stato io a seguire lei, o è meglio dire che ci siamo seguiti a vicenda perché le nostre vite sono entrambe cambiate da quel momento. Non è che uno si è adeguato alla vita dell'altro, è stato piú come un trovarsi in una terra di mezzo e costruirci una cosa nostra, senza stravolgere troppo il nostro carattere ma mettendolo in gioco, in discussione, anche perché io vivevo davvero senza nessunissima regola e lei qualche regola me l'ha imposta se volevo che la cosa tra di noi avesse un futuro. A me capitava di partire nel pieno della notte per chissà dove con uno spazzolino da denti in tasca, senza domandare mai il permesso a nessuno, senza bagagli, comprando le mutande all'autogrill. Facevo la vita che può fare uno di vent'anni che fa una vita come la mia, fatta di musica di incontri casuali di conoscenze occasionali e di pochissimi punti fermi: il Natale con i miei genitori, rispondere al telefono se chiama Claudio Cecchetto, fare benzina quando la spia segna rosso, non uscire da uno studio di registrazione fino a che il disco non è come dico io.

Con la Francesca è arrivata una donna nella mia vita, per davvero, ce n'erano state nei paraggi ma non avevano mai avuto accesso al sancta sanctorum, e forse non avevo nemmeno mai saputo di possedere un sancta sanctorum. Posso dire che è stata lei a indicarmene uno, proprio al centro del mio cuore, un luogo dove il maschile e il femminile si incontrano, un luogo magico per davvero.

All'inizio i miei amici non l'hanno presa bene, ma questo è sempre successo nella storia della musica, è una specie di classico, come il maglione a V.

Arriva una donna e un ambiente di maschi, quasi una caserma, viene interrotto nel suo equilibrio fatto di complicità maschile, di cameratismo infantile in cui le femmine sono viste come alle scuole medie, oggetti misteriosi da non coinvolgere mai se non quando si fa il gioco della bottiglia alle feste. Divertente, ma fino a un certo punto, fino a che funziona, se non c'è di meglio, e l'amore è meglio, senza dubbio.

Ho dovuto sforzarmi di essere un uomo piú affidabile per convincerla che non stavo scherzando con lei e adesso siamo insieme da 18 anni e non sono sicurissimo che lei sia convinta fino in fondo che con me può stare tranquilla, anche se io penso proprio che possa stare tranquilla. Va bene però che il 100 per cento non si raggiunga mai, che resti sempre una canzone nuova da scrivere, per usare una metafora musicale.

Da quel momento ho iniziato a scrivere canzoni partendo da lei.

Da bambino avevo un libro dei quadri di Modigliani e avevo notato che tutte le volte che il soggetto era una donna c'era lo stesso nome,

Jeanne Hébuterne. Mi rimase impresso quel nome. A quel tempo avevo in mente di fare il pittore, l'illustratore, il fumettista, e Modigliani era tra i miei preferiti. Venni a sapere che Jeanne era la sua ragazza e lui aveva preso a ritrarre solo lei. In ogni suo quadro era sempre lei, ma era sempre diversa. Con Francesca io provo a fare come il vecchio Modí, in tutte le mie canzoni il soggetto femminile è lei.

La prima volta che ho visto una donna nuda è stato a Cortona, d'estate. Un gruppo di studenti di un'università americana vengono ogni anno in città per un paio di mesi per studiare l'arte italiana, e il comune mette a disposizione degli ambienti dove tenere le lezioni. Uno di questi posti è una chiesa sconsacrata che d'inverno le scuole di Cortona usano come palestra. Una sera con un paio di amici scalammo un muro di mattoni sporgenti per vedere cosa facevano lí dentro visto che c'era una luce e fu un colpaccio quando scoprimmo che al centro della chiesa-palestra c'era una donna nuda, rotonda, e tutt'intorno gli studenti che la ritraevano. Una donna nuda e misteriosa al centro di una chiesa nel silenzio totale, solo lo strusciare dei carboncini sui fogli e il mio cuore a mitraglia nel petto. Neanche Fellini avrebbe potuto immaginare tanto. Era vera, era lí dietro al vetro della finestra e io la stavo guardando senza che nessuno lo sapesse. Mi sentii salire un fuoco dentro, come un calore intenso, e rimasi qualche minuto a fissare quella scena coi miei due amici da sotto che mi dicevano di scendere per far vedere pure a loro. È da allora che associo la bellezza al gesto di ritrarla, e anche la mia idea di sensualità è legata all'osservazione delle forme, delle curve. Credo che ci siano poche cose piú intense del tracciare una forma femminile su un foglio, può essere anche meglio di farlo dal vero con una mano perché nel gesto «artistico» c'è qualcosa che rimane, una scia indelebile che mi commuove.

Prima di quella volta avevo visto un seno nudo ma non potevo considerarlo un vero e proprio corpo di donna perché si trattava della mia mamma. Ero rimasto a casa perché avevo la febbre e me ne stavo a letto. La mia mamma si stava preparando per andare a fare la spesa e io mi alzai per andare in bagno. La porta della camera dei miei era socchiusa e di fronte alla porta nel corridoio c'era un armadio con una grande porta a specchio. Riflessa sullo specchio vidi lei che si vestiva e le vidi il seno dentro allo specchio e tornai di corsa a

letto perché non volevo che se ne accorgesse, che ero io. La cosa finí lí ma è chiaro che in me lasciò un segno, non solo perché si trattava della prima volta che vedevo un seno e non solo perché apparteneva alla mia mamma ma per via dello specchio che era un «mezzo», non era stata una visione diretta e credo che questo c'entri qualcosa con il tipo di mestiere che mi sono scelto.

Non ho un'idea di bellezza femminile allineata a quella diffusa dai giornali e dal mercato della moda, la cosa che mi piace di piú è l'idea del corpo femminile come mondo, come pianeta unico nell'universo.

Mi perdo nella distanza tra l'ideale e la realtà, e la realtà prevale sempre proprio per i suoi aspetti tangibili, sfuggevoli, misteriosi, irrappresentabili. Non si potrà mai rendere fedelmente quell'insieme di coincidenze di temperatura, suono, colore, intensità emotiva, odore che rende una cosa quello che è quando avviene, per questo non si finirà mai di scrivere canzoni, di fare film, di ballare, di scrivere libri. La poesia è probabilmente la cosa che piú si avvicina a esprimere l'assoluto di una cosa che ti accade, mentre accade, ma qui ci infiliamo in un ginepraio filosofico che è meglio lasciar perdere subito.

Un giorno di qualche anno fa, 6 settembre 2008, dopo che stavamo insieme già da 14 anni io e Francesca ci siamo anche sposati, e nostra figlia Teresa ha suonato il violino in chiesa davanti a tutti gli invitati. Quella è stata una bellissima giornata, una delle piú belle in vita mia, nonostante mancasse mio fratello Umberto che se n'era andato un anno prima cadendo con un piccolo aereo che stava pilotando.

Da quando se n'è andato Umberto non riesco piú a dire «questo è un giorno bellissimo» perché anche nel piú bello dei giorni c'è un vuoto, anzi piú è bello piú sento quel vuoto. Per questo cerco di mettere insieme piú giorni belli possibile, cosí che anche quel vuoto si faccia vivo in me con la sua forza, una sua luce, una luce misteriosa, che non ho nessuna intenzione di spegnere.

Le chiacchierate che abbiamo fatto, specialmente quelle di quando eravamo grandi perché da bambini si è sempre troppo presi, sono vive dentro di me e mi tengono acceso lo sguardo.

Mio fratello mi manca ogni giorno. Specialmente quando succedono cose belle, quelli sono i momenti in cui mi manca di piú. Non è che ci vedessimo tutti i giorni ma potete capire, era il piú grande di noi, e andarsene via cosí, all'improvviso, quando ancora avevamo da fare un sacco di cose, da dirci un sacco di cose. Da quando lui non c'è piú io ho preso ad ascoltare molta musica che a lui piaceva e specialmente Bob Dylan, che era la sua grande passione, è diventata una mia grande passione, è un modo per averlo accanto. Umberto è stata una delle persone che mi ha motivato di piú a fare quello che ho fatto e continua a motivarmi adesso, non meno di prima.

Quando sono diventato famoso lui aveva una Alfasud bianca presa di seconda mano, non proprio la macchina dei sogni, ma a lui andava benone visto che ogni soldo risparmiato lo metteva per ottenere il brevetto di pilota, il suo grande progetto. Un giorno tornai a Roma da Milano e mi venne a prendere a Fiumicino e sul cruscotto dell'Alfasud aveva scritto con l'uniposca bianco, bello in grande: «Jovanotti's brother». Era contento che io ce la stessi facendo, lo è sempre stato, il suo orgoglio è sempre stato per me la piú potente delle gratificazioni. Era un animo sensibile con dei tratti infantili, era affamato di conoscenza e non aveva mai nessun pregiudizio verso cose o persone. Ha lasciato alcuni diari che in famiglia conserviamo come la cosa piú preziosa al mondo, e sono scritti benissimo, degni di un Saint-Exupéry quando parla della passione del volo, la sua ragione di vita, e di morte. Del resto la sua vita dice proprio questo, che vale la pena vivere solo per le cose per le quali vale la pena anche morire.

In quella giornata, il giorno del matrimonio, ho sentito di essere dove dovevo stare e che tutti stavano festeggiando questo amore.

Credo che l'amore sia la cosa piú importante nella vita.

Già vi vedo che in molti arricciate il naso, perché la parola amore può ingannare, ma l'esperienza dell'amore non inganna, quella mette tutto in riga.

E credo anche che le canzoni piú belle che ci sono in giro sono canzoni che hanno a che fare con l'amore. Non si sfugge. Intendetemi, non solo quello romantico uomo - donna - lei mi ha lasciato - ti amo da impazzire - amore mio - love of my life anche se per esigenze di rima certe frasi possono scappare. Intendo l'amore come tema universale che prende vita quando si incarna in una faccenda particolare. Se anche la guerra di Troia è stata fatta a causa di una donna e Omero ha pensato che valesse la pena raccontarla vuole dire, come dice Ligabue, che l'amore conta.

Alla fine degli anni '90 è nata Teresa ed è cominciato tutto un'altra volta. La musica durante gli anni in cui lei era piccola è passata sullo sfondo, mi piaceva fare il babbo, non avrei voluto fare altro. Ci siamo trasferiti a Cortona e ci siamo chiusi in casa, ho montato uno studio nel sottoscala cosí da non dovermi muovere neanche per fare i dischi e per cinque anni interi la mia vita quasi non si è mossa da lí. Mi piaceva veder crescere questa nostra creaturina, eravamo noi tre e un cane, Pinocchio, che ho adorato e che abbiamo trattato come un parente strettissimo fino al giorno in cui la vecchiaia se l'è portato via.

Avevo messo qualcosa da parte con le royalties dei dischi degli anni '90 e anche se il mio manager di allora mi aveva tirato un brutto scherzo rubandomi un sacco di grana potevo rallentare un po' la corsa per concentrarmi sulla nascita della mia famiglia, nuova di zecca. Inaspettata e per questo ancora piú avvincente.

Sono un po' uscito dal giro in quegli anni e oggi penso che sia mancato un attimo alla mia uscita definitiva. Facevo strani pensieri, anche quello di ridurre tutto al minimo e di abbandonare concerti e compagnia bella per prolungare al massimo quella situazione che mi stava insegnando un sacco di cose. Leggevo molto la Bibbia e i libri sapienziali di altre tradizioni. La natura era la mia aspirazione massima, nella natura selvaggia dei boschi del mio Appennino identificavo quanto esiste di femminile nell'universo. Stavo diventando un capofamiglia. Avere a che fare con una donna che diventa mamma, una vita che nasce e deve farsi forte è una esperienza comune a tantissimi ma non per questo meno eccezionale e unica. Non c'è niente di piú grande e in grado di farti sentire piú forte e insieme vulnerabile. Ho provato molte volte la sensazione di essere al centro del mondo, magari su un palco alla fine di un concerto che è andato bene, ma la notte in cui è nata mia figlia, di fronte al corpo di Francesca che la partoriva, quello è un altro pianeta. Sono stato il primo a prender-

la in braccio per passarla tra le braccia della sua mamma e mi sono
sentito investito di tutta la responsabilità dell'evoluzione della vita
nell'universo. Altro che chiacchiere.

Quando sento le canzoni che ho scritto in quei cinque anni in
cui Teresa cresceva, fino a quando è andata in prima elementare, mi
sembra che le abbia fatte un altro, mi pare di non essere lí al 100 per
cento, sento per esempio certe cose dei mixaggi che se fossi stato con-
centrato come sono di solito non avrei permesso. Per me il mixaggio
è una delle fasi creative tanto quanto la scrittura e la registrazione e
mi interessa valutare ogni dettaglio, per esempio il volume della mia
voce che deve essere quello giusto e quello giusto nessuno sa qual è
a priori, e per ogni canzone bisogna trovarlo. Perché la voce in una
canzone è il fattore determinante, e non sto parlando di intonazione

e compagnia bella, tutte quelle cose di cui tengono conto i maestri di canto, sto parlando di quella cosa misteriosa che è la voce e che ci distingue dalle altre specie animali in modo determinante. Le parole che suonano, ecco quello che intendo, sono la vera potenza di una canzone o possono essere il suo peggior punto debole.

E allora bisogna che le cose girino giuste e giuste non significa corrette o canoniche perché nella musica pop non ci sono errori e non ci sono canoni, c'è solo quello che arriva al cuore e quello che non arriva, e ogni volta si può arrivare al cuore in un modo diverso, basta arrivarci.

In quegli anni di quasi isolamento è entrata nella mia vita la bicicletta, anzi è rientrata, perché da ragazzino mi piacevano le biciclette, piú del calcio e di altre attività tipiche di quell'età.

Ho fatto centinaia di migliaia di chilometri, con il caldo e anche con il freddo umido degli inverni dell'Appennino che non disdegnano il vento forte, sempre da solo tranne rarissime eccezioni. Era di sicuro una forma di dipendenza un po' ossessiva, se stavo due giorni senza pedalare mi sentivo strano, come se non avessi fatto i compiti. Poi le cose sono cambiate, e oggi giro ancora in bici quando ho voglia e quando ho tempo ma senza farne una religione. Mi piace ancora molto e anzi mi aiuta anche nel mio lavoro. Molti testi dei miei album sono nati in bici. Prima giravo con un foglietto di carta e una penna sempre in tasca, adesso con il cellulare posso anche prendere appunti vocali. Magari ho un pezzo abbozzato in studio sul quale sto lavorando e allora isolandomi lungo le strade deserte possono venirmi delle idee. La maggior parte delle idee che vengono pedalando poi si rivelano cosí cosí ma a volte qualcosa di buono è venuto fuori.

La bici mi ha insegnato a gestire la fatica e a godermi la discesa, a trovare il mio ritmo e a sentire il respiro e il battito del cuore. È isolamento totale dalla folla, immersione nel paesaggio interiore e in quello che ho intorno. È per bilanciare il suo opposto, che è quando sto su un palco, dove invece mi offro agli esseri umani senza nessuna mediazione: era cosí quando di fronte a me avevo due giradischi e una pista con poche decine di persone ed è cosí quando sto di fronte alle moltitudini dei palasport o dei grandi concerti negli stadi.

Quegli anni, dal '98 al 2004, sono anche stati gli anni in cui standomene un po' isolato ho capito bene la potenza di internet. Ho avuto una connessione e un mio sito dal '95 ma i primi anni era davvero come appassionarsi di astronavi nel Medioevo, si faceva fatica a trovare qualcuno che condividesse quell'entusiasmo. Poi alla fine degli anni '90 le cose sono cambiate. Vivevamo a Cortona, la mia vita scorreva tra casa e strade provinciali di montagna che giravo in bicicletta, poca gente nei paraggi, poche relazioni sociali al di fuori della strettissima cerchia familiare e dei miei musicisti piú intimi. Internet era la mia finestra sul mondo. Ho avuto il primo prototipo di blog in Italia che avevo chiamato *mumble mumble* e ci scrivevo ogni giorno quello che mi passava per la testa ma senza che nessuno potesse commentare (un vantaggio dei bei tempi andati :-)).

Avevo in mente un gran bel progetto internet ma i tempi non erano ancora maturi, le connessioni in Italia erano lente per quello che avevo in mente, cosí dopo aver perso un po' di denaro e di entusiasmo ho ridimensionato tutto senza però perdere la fiducia nel fatto che quel mezzo avrebbe trasformato per sempre il mondo della musica e non solo.

Il motivo per cui ho smesso però è un altro: cercavo intimità in un posto che ne è la perfetta negazione.

Ci scrissi anche una canzone, *File Not Found*, dove parlavo del fatto che internet era un passaggio verso quell'allinearsi tra evoluzione-universo-tecnologia-natura-religione che sta alla fine dei tempi, in senso escatologico. L'universo è un ipertesto, questo dice la Bibbia in fondo, e lo dicono anche i *Veda*. Per quel poco che posso averne letto io è la cosa che ho colto. Internet assomiglia al nostro cervello e il nostro cervello assomiglia all'universo. Il pezzo non ebbe successo, anzi direi che tra tutti i miei singoli è stato quello accolto con piú freddezza dal pubblico. Avevano ragione loro, il pezzo aveva qualcosa di forte ma la prima strofa è effettivamente troppo lunga, non può reggere in nessuna playlist di radio mainstream. Il video però è ancora oggi una delle cose mie che preferisco, considerato l'anno in cui è stato fatto. Nel video si vede anche il nostro cane Pinocchio, che si vede anche nel video di *Per te*, che in quegli anni era sempre con me, non ci separavamo mai, io la Francesca Teresa e Pinocchio, i fantastici quattro. Pinocchio lo prendemmo al canile di Milano, ci andò la Francesca, io ero in studio e lei tornò con questo meticcio buffo dalle abitudini randagie, avrà avuto 4 o 5 anni ed è passato dalla gabbia del canile agli alberghi a 5 stelle. Una volta a Napoli eravamo lí per il Festivalbar e lo lasciammo in una suite dell'hotel Vesuvio che poche settimane prima aveva ospitato Bill Clinton. Restò lí mentre io mi esibivo sul palco in piazza del Plebiscito e per non fargli mancare nulla gli comprammo anche una pizza napoletana fragrante appena sfornata. Lo ritrovammo sul letto che guardava la tv e si era quasi mangiato tutta la pizza, alla scena mancava solo il secchiello dello champagne. Aveva fatto presto ad abituarsi alla sua nuova vita da vip, proprio come capita agli esseri umani.

La cosa che si dimentica piú in fretta sono i tempi difficili. La memoria fa sempre il suo *greatest hits* e questo è un gran bel trucco dell'evoluzione per permetterci di sopravvivere anche alle ere glaciali.

La mia vita privata era immersa nell'atmosfera di una bimba appena nata con tutto quello che comporta in speranze e fiducia nel futuro. *Capo Horn* andava forte, c'erano dentro *Per te* e *Un raggio di sole* che giravano in radio alla grandissima. Erano due canzoni, come dire, solarissime che raccontavano di un mondo a colori vivaci, quasi due canzoni a cartoni animati o nello stile di *Il favoloso mondo di Amélie* o di *Forrest Gump,* per intenderci.

Però nell'aria soffiavano anche quei cupi venti di guerra che sappiamo, e non sempre – anzi quasi mai – la musica riesce a non sentirsi chiamata in causa, proprio per il potere che ha di sottolineare le emozioni, evocarle, contrastarle. Volevo fare qualcosa, mi sentivo un po' in colpa quando ascoltavo alla radio la ninna nanna di *Per te* e subito dopo un notiziario che parlava di bombardamenti, di profughi, dell'Italia portata in guerra da un governo di sinistra, quella stessa sinistra che era stata tra i piú tenaci difensori proprio di quell'articolo che ripudia la guerra, per l'appunto. Avrei voluto fare qualcosa per sostenere la voce di chi non accettava questa nuova situazione internazionale come inevitabile, nonostante io non sia mai stato in grado di definirmi un pacifista radicale alla Aldo Capitini, o perlomeno non avessi mai avuto modo di essere messo alle strette su questo tema.

Ho imparato che le cose vanno in modo che se tu stai pensando intensamente a una cosa non sarai il solo a farlo e succederà presto qualcosa.

Infatti ricevetti una telefonata da Ligabue, che conoscevo bene per le canzoni ma che personalmente avevo incontrato sempre e solo di sfuggita.

Mi telefonò per dirmi quello che stava provando, anche lui padre da poco di un bimbo, e che non sapeva cosa non sapeva come ma aveva voglia di trasformare quell'inquietudine in un gesto, e cosa ne pensavo. Avrebbe potuto essere un concerto ma invece venne fuori l'idea di una canzone, un cd che raccogliesse anche soldi per aiutare le vittime oltre che per dar voce, attraverso la nostra voce, a chi non ha voce. Pensammo a Piero Pelú e lo chiamammo e lui si rese subito disponibile. Luciano è un uomo di grande senso pratico, molto piú di me, e non si perde in chiacchiere, lo ha sempre dimostrato. Punta al sodo, io sono il contrario, sono un professionista del menare il can per l'aia, campione del mondo di progetti irrealizzabili. Io e lui siamo molto diversi, ma quante volte nella vita avrei voluto essere lui.

Ci vedemmo nel suo studio a Correggio, Piero era in tour ma lo tenevamo informato. Prendemmo la chitarra, anzi la prese lui, e mi fece ascoltare un giro di accordi sul quale stava lavorando e un abbozzo di frase che diceva «il mio nome… il mio nome…» ma che non andava ancora da nessuna parte. Io la cantai trovando la frase completa «il mio nome è mai piú» che ci sembrò subito un titolo forte, di quelli che stanno bene anche scritti su una maglietta.

Poi si andò a cena e parlammo di come sarebbero potute essere le strofe e tra le cose dette quella che ci convinceva di piú era che ognuno interpretasse un personaggio coinvolto in faccende di guerra, si scrivesse la propria parte e la cantasse.

Tornai a casa con la cassetta del provino senza le strofe e il giorno dopo iniziai a lavorarci come faccio di solito. Faccio girare il pezzo a ripetizione e mi ci lascio andare sopra scrivendo tutto quello che mi viene in mente, finché non mi sembra di avere un punto di partenza, qualcosa.

Pensai a Umberto, che era un pilota di aerei, alle sue motivazioni. Pensavo che ogni pilota di aerei, anche quello che guidava l'Enola Gay e sganciò la bomba su Hiroshima, da ragazzino aveva solo la passione per il volo, pura, chiara, lampante, una vocazione, una chiamata. Pensai a come una passione scintillante e travolgente come è quella per il volo può trasformarsi in uno strumento di distruzione. Cosí mi immedesimai in un pilota di caccia, e buttai giú la mia strofa... «Eccomi qua, seguivo gli ordini che ricevevo, c'è stato un tempo in cui io credevo» eccetera eccetera.

Luciano mi consigliò di cambiare un paio di parole della mia strofa che erano troppo dure e fu un ottimo consiglio, e ancora oggi ogni volta che sento quelle due parole mi viene in mente e mi fa riflettere su quanto mi piacerebbe avere sempre un Ligabue che mi aiuta a limare qua e là i miei testi. La Francesca a volte lo fa e spesso mi ha dato delle dritte utilissime, ma scrivere testi è anche un mestiere e dopo trent'anni quella prudenza io non l'ho ancora acquisita mentre uno come Luciano ce l'ha e quando ascolto i suoi testi spesso mi viene da dire «ecco il mestiere», «ecco l'ispirazione», e lo dico come un complimento, sia chiaro. Mestiere e ispirazione sono i due pilastri della faccenda, l'uno senza l'altra non va lontano, e viceversa.

Dunque Liga ci parlò di Gino Strada che aveva conosciuto di persona e che gli aveva lasciato una bella impressione.

Emergency io la conoscevo, ma non bene, sapevo a grandi linee quello di cui si occupava ma solo andando a trovare noi tre insieme Gino Strada ebbi chiaro il fatto che quello era un eroe dei nostri tempi, con in piedi un progetto che avrebbe meritato fama e riconoscimento oltre che aiuto economico. L'Italia è anche gente cosí, pensavo, e bisogna raccontarlo.

La canzone diventò il cd singolo piú venduto della storia dei cd singoli e, anche se non ha fermato nessuna guerra, ha aiutato Emergency a sviluppare la sua attività che è quella di salvare vite e alleviare le sofferenze delle vittime. Il bilancio è quindi positivo e nemmeno un centesimo di quei soldi ha preso strade diverse.

Il video lo girò Gabriele Salvatores e le spese vive dell'intera operazione le pagò «Tv sorrisi e canzoni» comprando un servizio fotografico in esclusiva.

Nonostante il grande successo di pubblico con *Il mio nome è mai piú* riuscimmo a far incazzare sia la stampa di destra sia quella di sinistra, e anche quella di centro.

Ci fu Radio Popolare, storicamente di sinistra, che trasmetteva anche una parodia della canzone dove in pratica ci faceva passare da miliardari indignati, il solito giochetto che di solito fanno i cinici e i qualunquisti quando non hanno argomenti a sostegno delle loro posizioni, ma che lo facesse Radio Popolare era proprio strano, e ci dispiaceva. La politica in Italia è in tutte le cose, e le iniziative libere e individuali non hanno mai vita facile. Condivido la visione popolare (non nel senso della radio) che la verità viene a galla, perché è dentro le cose. La verità piú forte di quella iniziativa è nei mattoni, nelle finestre, nei letti, nelle lenzuola, nelle medicine, negli strumenti di due ospedali costruiti in Afghanistan, nel '99.

La storia che se uno ha successo non sarebbe piú titolato a prendere posizione a favore dei «senza voce» è vecchia come il cucco anche se fa sempre un po' di effetto sulle menti influenzabili. La verità è che se non hai successo nessuno ti ascolta, se hai successo sembra che lo fai per farti bello e allora uno non dovrebbe fare proprio niente ma cosí l'avrebbero vinta quelli che stanno lí sempre e solo a rompere i coglioni e che del rompere i coglioni ne hanno fatto un mestiere. Io sono per il buttarsi nelle cose in cui si crede e poi vedermela con il padreterno in persona per quanto riguarda l'essere in buona fede o no. Per migliorare il mondo l'unico modo è fare qualcosa, sentirsi dalla parte giusta non basta.

Una volta in Brasile parlando con un giornalista mio amico criticavo il fatto che a due passi da una favela stessero costruendo grattacieli moderni e sfolgoranti, lo giudicavo un affronto, un gesto prepotente e disumano, e lui mi gelò dicendomi: «È l'unico modo per cui un bimbo nato in una favela possa volere un giorno abitare in uno di quei palazzi, se non li vedesse resterebbe dov'è per tutta la vita, in questo modo può accendersi in lui il desiderio di cambiare la propria vita».

Con la mia musica voglio mostrare la favela e anche tirar su un grattacielo moderno luccicante: far vedere la mia idea di bellezza.

E io faccio quel che so fare: musica. Ho scritto canzoni nate da singole e importantissime contingenze, nate dalla strada che ho percorso in questi anni, e ho cantato per sostenere idee in cui credo, dove ho pensato che potessi dare una mano.

Solidarietà come insegna la Costituzione, articolo 2, dovere inderogabile:

Art. 2. La Repubblica riconosce e garantisce i diritti inviolabili dell'uomo, sia come singolo sia nelle formazioni sociali ove si svolge la sua personalità, e richiede l'adempimento dei doveri inderogabili di solidarietà politica, economica e sociale.

Sí, l'11 settembre.

È chiaro che ha avuto anche su di me un effetto importante. Ma non è stato quell'orrore a farmi sentire il limite forte di un modo di fare e la voglia di andare oltre, di dare meno spazio al pensiero e al ragionamento per gettarmi in una musica e in una scrittura piú astratta ed emotiva, che non tenesse conto di aspetti politici economici ed etici e si concentrasse sugli aspetti emozionali ed energetici.

Dopo l'11 settembre ho scritto una canzone di getto, *Salvami*. Il disco che stavo registrando era praticamente finito ma decisi di fermare tutto e di registrarla, era un pezzo dall'andazzo rock, lo registrammo in una sola session. Sentivo nell'aria intorno a me paura, incertezza, e vedevo la politica cavalcare questi sentimenti di massa nel modo in cui fa di solito, per ottenere consensi. Altri venti di guerra. Era stato un attentato davvero pesantissimo su tutti i piani, da quello reale di aver distrutto tante vite in un solo attimo a quello simbolico. *Salvami* era un pezzo che avrebbe di sicuro raccolto intorno a sé l'orbita di chi la pensava in quel modo, a partire dai pacifisti. Ma io volevo portare quella canzone a tutti, cantarla dove non sarebbero stati d'accordo, nella tv del consenso, allineata con l'aria che tira, e in quel periodo tirava un'aria di sostegno alle azioni di guerra dei paesi amici dell'America verso il cosiddetto «asse del male», cosí definito dal presidente Bush con una trovata propagandistica efficace quanto generica.

Mi venne in mente un viaggio, una spedizione di una settimana nei programmi televisivi italiani, ospite di chiunque mi avesse voluto, a cantare la canzone. Telefonammo alle redazioni e furono tutti contenti di avermi da loro, ma non avevano sentito la canzone, pensavano a qualcosa di rassicurante. 60 programmi erano disposti a ospitarmi,

dal telegiornale alla trasmissione di Antonella Clerici, da Cucuzza a Costanzo, da Bruno Vespa a Marzullo a Gerry Scotti.

Partimmo con questa avventura e all'inizio venne presa come una performance di stampo vagamente dadaista, e tutto filava liscio. Poi ci fu *Porta a porta*, e lí la corrente cambiò. Andai per cantare la mia canzone e mi trovai coinvolto in un dibattito in cui sostenevo le ragioni del dialogo in mezzo a un commando di guerrafondai.

Ne venni fuori con le ossa rotte, non fui in grado di reggere quella dialettica, non ero preparato, semplicemente, a tenere botta con i professionisti dei talk show, che fanno un mestiere diverso dal mio, e lo sanno fare. Fu un mio errore che mi mise al tappeto, e mise in ridicolo anche la causa per la quale mi battevo, mandando all'aria molte mie sicurezze.

Dopo quella visita in quel salotto televisivo mi sentii perduto. Maurizio Costanzo, che mi aveva sempre tenuto in simpatia, mi accolse nella sua domenica pomeriggio con un plotone di esecuzione e lí mi dette il colpo di grazia, e posso dire di essermelo meritato.

Avevo sottovalutato la situazione. Ero stato leggero su una cosa pesantissima: la guerra, e su qualcosa di altrettanto pesante, la tv, la vera macchina di costruzione del consenso. Colpa mia. Fu una bella lezione. Avevo iniziato quel viaggio che ero un pischello idealista e ne sono uscito a pezzi, costretto a rivedere tutte le mie posizioni riguardo a ogni aspetto del mio stare al mondo.

Non ho smesso di essere un idealista, ma ho smesso di esserlo per trovare consolazione, il progresso non è un pranzo di gala, parafrasando qualcuno che aveva un piano piú efficace del mio.

Avevo creduto, per un certo periodo, che nella vita contasse la virtú, e invece conta solo il carattere.

Me ne accorsi durante quel «viaggio».

Lo avevo fatto perché cercavo una scossa. Non sopportavo piú l'idea di sentirmi dalla parte del giusto, di parlare di argomenti scottanti a chi era già d'accordo con me senza la possibilità di convincere nessuno al di fuori di quella cerchia di indottrinati, anche se in buonissima fede. Quello è il peggior difetto di ogni ambiente radical chic, essere tutti d'accordo e criticare il sistema facendone parte. È il grande rischio della comunicazione: parlare a gente che è già d'accordo su tutto e cerca solo di riconoscere e mai di conoscere, di fare un'esperienza vera. La musica può rompere questo meccanismo e attraversare i muri.

La musica è forma, il contenuto è una conseguenza, casomai.

Avevo voglia di cambiare, di tornare a essere pop, a essere il piú possibile trasversale in modo da poter accogliere gente diversa nella mia musica. Gente nuova possibilmente aperta al nuovo, come mi sentivo io. L'etichetta di «cantante no global» era prima di tutto totalmente fuori strada, in quanto non c'è nessuno piú global di me, e mi chiudeva in un angolo al quale io non appartenevo per niente.

Che la questione è sempre e solo la forma (in quanto il contenuto è forma pure lui) me l'ha insegnato un libro, *Cent'anni di solitudine*, che ancora oggi regolarmente riprendo in mano e rileggo come un breviario per come è scritto, per quello che è, perché c'è. Qualche mese fa ho preso un aeroplano e sono arrivato a Cartagena de las Indias, in Colombia, dove Gabo fu giovane cronista locale, e da lí ho percorso da solo con i mezzi pubblici tutti i posti di Gabriel García Márquez, senza altro motivo di mettere piede in quei villaggi, a quelle temperature, e di guardare le cose come se fossero parole che si possono toccare, di bere caffè come se fosse una frase liquida calda e con molto zucchero di canna. Non posso dire che quello è il libro dei libri perché non lo so, e non credo sia possibile dirlo di nessun libro, nemmeno della Bibbia, però *Cent'anni* è il mio battesimo della letteratura nell'età postinfantile, che nel mio caso si è protratta ben oltre i 18 anni. Prima di quello il solo libro che mi aveva letteralmente steso era stato *Pinocchio* (mia figlia a lui ha preferito *Harry Potter*, ma vuoi mettere 100 pagine contro 5000?)

Faccio un salto indietro. Prima del casino di *Salvami* avevo partecipato come ospite al festival di Sanremo dove avevo portato su quel palco un tema politico e sociale che mi stava a cuore: la povertà dei paesi sottosviluppati e cosa potevamo fare noi, da questa parte di mondo.

I miei viaggi in Sudamerica ma soprattutto in Africa mi avevano motivato a cercare un modo per esprimere gratitudine verso quelle culture che avevano dato cosí tanto al nostro mondo senza ricevere nulla in cambio.

Io sono prima di tutto uno che fa musica in Occidente e l'Occidente non può prescindere dagli elementi importati dall'Africa. *L'albero* l'avevo registrato in Sudafrica e quel disco è stato una grande esperienza di vita e di musica. Non esisterebbe la mia musica senza l'Africa, non esisterebbe nemmeno tutto il rock il jazz il blues la dance e nemmeno la house senza l'Africa, la terra madre. *Gratitude.*

La povertà estrema è straziante vista dal vero, è inaccettabile a meno che uno non si giri dall'altra parte, si imponga di non pensarci liquidandola come inevitabile. Non parlo della povertà del racconto di Collodi o della nostra civiltà contadina, quella in cui si riusciva anche a ridere, quella che è un tipo di ricchezza, se si vuole vederla cosí. Parlo della miseria vera, quella in cui non si sa nemmeno di essere poveri, quella che chiude lo stomaco, blocca le parole, spalanca gli occhi dei bambini che si riempiono di mosche affamate anche loro.

Un giorno lessi un articolo inglese in cui si parlava della campagna «Drop the Debt», cancella il debito, e mi sembrò una bella idea, un modo per affrontare quella enorme questione girandola sul fronte della giustizia e non piú della carità.

Non bisogna combattere la povertà perché si è «buoni» ma perché è politicamente, economicamente, socialmente giusto e ancora di piú, è vantaggioso.

Cosí li contattai e dissi che ero a disposizione nel caso avessero avuto bisogno di un nome noto in Italia.

Mi misi a studiare la questione seriamente. Libri, siti internet, telefonate a esperti. La storia della colonizzazione africana e il processo di indipendenza con tutti i suoi problemi, le truffe, le bugie, la follia, la guerra fredda, le materie prime, l'emigrazione, l'industria farmaceutica, il ruolo della religione in quei paesi. Cose che i programmi scolastici non toccano perché o troppo recenti o troppo complesse. La storia dell'Africa è intrecciata alla storia dei paesi che si studiano generalmente, l'Europa, l'America, la Russia, la Cina, anche se quasi nessuno lo sa.

La povertà dell'Africa si inserisce in un contesto cosí preciso da apparire quasi il risultato di un progetto politico globale, anche se non è cosí semplice.

Sul palco di Sanremo parlai di questa cosa attraverso un rap che avevo scritto per l'occasione ed ebbe una grandissima risonanza. Nessuno aveva mai preso posto su quel palco con qualcosa di simile da cantare. Fu in quell'occasione che conobbi Bono che dopo la mia esibizione volò a Roma e ci incontrammo per essere ricevuti dal presidente del Consiglio in persona.

Grazie a quella campagna di sensibilizzazione molti paesi sono riusciti a mettere un freno a quell'epidemia sociale che è causa di epidemie virali e che impedisce ogni progresso in ogni campo.

Il quinto mondo è un disco pieno di cose e alcune mi piacciono ancora oggi ma è anche pieno di ingenuità e di slanci a vuoto. È come se in quel disco, in molte sue canzoni, avessi cercato di allontanarmi dal formato pop dei tre minuti e mezzo strofa-ritornello-strofa-ritornello-bridge per avventurarmi verso qualcosa d'altro.

Fu un insuccesso, e credo che me lo fossi meritato, e nel profondo di me anche desiderato. Però dentro ci sono canzoni che amo e che ogni tanto mi piace suonare in concerto e il giro che facemmo per quel disco è musicalmente uno dei tour che ho amato di piú nonostante nascesse da un disco problematico. Non venne molta gente a sentirci ma il sound era pazzesco, 17 musicisti sul palco, nessun computer, luci essenziali e voglia di suonare il mondo come fosse un tamburo.

Tra tutte quelle canzoni una in particolare, *Date al diavolo un bimbo per cena* è una specie di lastra ai raggi X di quello che mi ribolle dentro. Alla periferia di nessun centro.

L'assolo di sax di quella canzone è di Kenny Garrett, l'ultimo sassofonista di Miles Davis, e quelle quattro note ci costarono un occhio della testa.

Quel testo è una delle cose migliori che ho fatto, non sta me a dirlo, ma l'ho detto.

Dopo *Il quinto mondo* e il tour che è seguito a quel disco volevo scrivere in modo diverso. Alla fine di quel periodo avevo esaurito un desiderio di sonorità «organiche» e di testi connessi con una visione del mondo influenzata dai movimenti di critica al neoliberismo globale. Avevo trascorso anni a informarmi sui cambiamenti che stavano avvenendo nel mondo con la globalizzazione. Avevo anche viaggiato molto, il piú possibile. In quei viaggi e nelle letture che facevo trovavo la forza per sostenere una cosa in cui credo tutt'ora e che è la scoperta dell'acqua calda, ovvero che i livelli di giustizia sociale nel mondo sono quasi ovunque sotto una soglia accettabile ma che questa non è una condizione immutabile.

Le cose cambiano, le società sono organismi in trasformazione. Credevo e credo anche adesso che per alzare quel livello ci voglia prima di tutto conoscenza e informazione libera.

La maggior parte di quelli che vivono in uno stato di assoluta povertà è imprigionata in quella prospettiva e non immagina nemmeno la possibilità di avere un ruolo nel proprio destino, per migliorare le proprie condizioni di vita. Spesso avevo sperimentato il prevalere delle logiche economiche su tutto il resto, fino a credere che la povertà di miliardi di persone fosse il frutto di un meccanismo che appare immutabile solo perché ci torna comodo pensare cosí.

Iniziai a sentire il limite di un linguaggio musicale in cerca di consensi razionali. Ripensavo alle mie origini, a me bambino, e mi era chiaro che non sono mai state le parole a spingermi ad ambire a qualcosa di migliore per me, ma la ricchezza del mondo, la sua forza di attrazione, la bellezza, la vitalità e anche il suo dolore, che è dappertutto, come l'aria.

Ero stato a Porto Alegre, in Brasile, da semplice cittadino, ad ascoltare le conferenze del Forum Sociale. Poi ero stato anche a Genova per il G8 e, nonostante quelli fossero argomenti che mi facevano battere il cuore, in quei raduni mi sembravano tutti cosí inquadrati, cosí pieni di certezze. Il gioco delle parti tra dimostranti e polizia non era altro che una riedizione macabra di scenari anacronistici. Non volevo far parte di quel film.

Poi c'è la questione dei bonghi e delle canne, quell'accoppiata micidiale che anche con tutta la buona volontà mi fa pensare che su quel linguaggio prevarranno sempre i banchieri e gli affaristi, e sarà cosí all'infinito. I freakkettoni non l'avranno vinta mai, nemmeno quando le loro istanze sono giuste, e sono spesso giuste, ma i bonghi suonati male da un circolo di sballati sono un disastro, parliamoci chiaro.

Le percussioni sono strumenti seri, come i violoncelli e le arpe.

Questo l'ho capito dopo un lungo percorso ma alla fine ho ceduto all'evidenza di quello che la mia vita mi metteva davanti.

Nessun discorso è piú convincente di una danza, nessuna buona ragione ha piú forza di un brivido. Ripensavo al teatro futurista al quale mi aveva introdotto un professore di italiano al liceo e che mi aveva davvero fatto sentire bene (ecco un altro inizio).

Mi attraggono le cose che brillano, non potevo pensare di realizzare una musica che non fosse brillante.

Cominciai a pensare che la cosa piú efficace non fosse, da parte di un artista popolare, parlare di quegli argomenti in modo perentorio, ma rappresentare, incarnare la scintilla, attraverso un linguaggio il piú possibile pop. Ancora non sapevo come tradurre in gesto quella sensazione ma facendo *Il quinto mondo* e ancora di piú durante la promozione e il tour avevo sentito di non essere dove avrei voluto trovarmi.

Ogni volta che in questi anni la musica e io siamo entrati in crisi mi ha salvato ritornare all'origine di tutto, al battito ritmico, alla pulsione della dance, alla magia di un giro di accordi che può proseguire all'infinito senza stancare.

Qualche anno dopo, in un pomeriggio di settembre a Roma, avevo radunato la band che era in tour con me quell'anno nello studio *Forum* di piazza Euclide. Non avevo canzoni scritte. Abbiamo semplicemente registrato lunghe jam session senza struttura che poi sono diventate un piccolo disco quasi tutto strumentale chiamato proprio *Roma* (come un ritorno a dove ero nato). Mentre registravo quelle jam in un'atmosfera di grande libertà ho sentito una chiamata, dovevo abbandonare la strada del contenuto politico a ogni costo e lasciarmi andare di nuovo, non tentare per forza di mostrarmi intelligente o impegnato, ma recuperare il bambino che non stava giocando piú. Ero intenzionato a ripartire dalle emozioni primarie tralasciando del tutto le analisi. I social network erano ormai il linguaggio di tutti e internet non era piú solo un mondo di smanettoni ma definitivamente uno dei nuovi media di massa. A questa nuova invasione di immagini e soprattutto di parole dovuta alla diffusione della rete e dei social network mi sembrava che la musica dovesse reagire tornando al suo antico ruolo di mediatrice «magica». L'artista come psicopompo, traghettatore di anime, prima di tutto la propria. In questo senso era per me un tornare indietro al mestiere di dj che piú di tutti in questa nostra epoca incarna quel ruolo sciamanico. Con le dovute proporzioni, chiaro.

Volevo fare un disco che facesse ripartire tutto, che ridefinisse il mio sound e la mia scrittura, ero davvero molto determinato.

Per intraprendere questa nuova/antica strada prima di tutto ho cercato una nuova squadra di collaboratori. Un nuovo manager che tenesse in ordine i conti e che infondesse al progetto energia da nuova startup e l'ho trovato in Marco Sorrentino, che era un dirigente alla Universal e ha lasciato la sua poltrona per seguirmi. Marco credeva in me e mi ha aiutato molto a recuperare fiducia e a innamorarmi di nuovo dell'idea di essere innovativo, forte, scintillante come una palla specchiata al centro di una pista da ballo.

Poi ho pensato alla musica.

Con me c'era sempre Saturnino e con lui altri ottimi musicisti ma avevo bisogno di rinnovare l'attacco. Ho contattato una mia vecchia conoscenza, il dj Stefano Fontana, che in quel periodo aveva fatto delle produzioni dance che suonavano bene anche se mancavano di *songwriting*, come spesso accade ai pezzi fatti dai dj. A quello ci avrei pensato io, lui mi avrebbe aiutato solo a rinnovare il mio suono. Ho affittato un mese in uno studio molto digitale di Milano guidato da Pino Pischetola Pinaxa, un esperto e molto abile sound engineer amante del suono processato e dell'elettronica. Ho raccolto i miei musicisti di riferimento, Saturnino, Riccardo Onori, Franco Santarnecchi e ci siamo messi a suonare, intanto io cercavo linee melodiche, rime, spunti di ogni tipo.

Tempo prima, una notte che ero a casa a Cortona da solo, perché la Francesca era via e la Teresa dai nonni, avevo scritto delle parole su un foglio che erano il punto di partenza per una canzone chiamata *Mi fido di te*. Poi chiacchierando dei massimi sistemi con un mio amico musicista, Bruno de Franceschi, era venuto fuori il concetto della perdita come fatto necessario per accedere a un nuovo livello, a un upgrade di coscienza.

Cosa sei disposto a perdere? Era questa la domanda da fare a noi stessi.

Io ero disposto a perdere un sacco di cose. Anche tutto, se ne valeva la pena, e per me fare musica vale la pena, su questo non ci piove.

Quella domanda l'ho poi inserita nel ritornello della canzone perché completava il senso di quello che anche solo dicendolo mi emozionava parecchio. Concetti elementari e fondamentali: la fiducia, il gettarsi nella vita sapendo di perdere qualcosa per conquistare il nuovo.

Trasformare quegli appunti in una canzone è stato il passaggio che ha aperto un nuovo mondo musicale per me.

In studio Fontana tirò fuori il giro di basso synth di *Tanto* e io la notte stessa guidando in autostrada verso casa ho scritto tutta la canzone e me la sono immaginata pensando a una lettera di Francesco Petrarca che avevo letto qualche giorno prima e che mi era rimasta sulla punta della lingua.

Quel mese in studio è stato molto importante e anche se alla fine non avevo ancora il disco che volevo, avevo conquistato una cosa che cercavo da un po': il desiderio di fare un nuovo disco che avesse qualcosa da dire al proprio tempo, che sbaragliasse il campo, che facesse gridare «oyeah» a me e al pubblico.

Il disco non c'era ancora ma il desiderio era di nuovo lí, e quella è la cosa piú importante di tutte.

Con Stefano ci salutammo, mi aveva aiutato ad arrivare fino a lí ma adesso dovevo fare un passo successivo. Era stato davvero determinante a individuare il riff di *Tanto* e quindi ad aprirmi la porta verso una nuova fase della mia musica ma ora c'era bisogno di un produttore che mi aiutasse a mettere a fuoco il traguardo. Avevo bisogno di lavorare con qualcuno che avesse voglia di sfondare, che avesse grinta da vendere e lo slancio adatto a portare questa mia storia a un nuovo livello.

C'era in giro il primo disco di Tiziano Ferro che stava andando molto forte. Le canzoni erano una versione italiana di quell'r'n'b americano in voga ma avevano identità e infatti arrivavano bene al pubblico. Il produttore-arrangiatore di quel disco era un padovano, Michele Canova, mai sentito prima.

Seppi che si era trasferito a Milano e aveva messo in piedi uno studio in un appartamento fuori dalla circonvallazione esterna. Questa cosa mi fece pensare che avesse voglia di diventare seriamente qualcuno. Lo contattai.

Mi piace la gente che lascia la provincia per confrontarsi con la grande città, in quello spostamento c'è il segno di un'ambizione forte, di un investimento sulle proprie capacità. Finché sei in provincia puoi anche raccontartela ma quando arrivi a Milano o in una città di business ti confronti con altri modi di vedere il lavoro e lí devi giocartela, non puoi piú fare nemmeno la pausa pranzo.

L'incontro con Canova non è stato facile. Lui era un fan dei miei dischi dei primi anni '90 ma mi considerava un po' scoppiato, glielo leggevo negli occhi. Ostentava una grande sicurezza di sé, un po' esa-

gerata per essere tutto lí in quella sicurezza il suo talento. Dovevo digerire certe sue battute e quella spocchia di chi ha un disco al numero uno in classifica e non ha ancora 30 anni. Nelle prime settimane ci siamo studiati, piú volte ho pensato di prendere i miei hard disc e togliermi di mezzo lasciandolo al suo r'n'b pieno di certezze ma ho tenuto duro perché sentivo che di fronte a me avevo una persona di talento e con una dedizione instancabile al lavoro. Questo contava per me. La prima caratteristica che cerco in un collaboratore è la dedizione assoluta, senza orari, senza giorni di riposo, senza distrazioni.

Il nostro è un mestiere da privilegiati, non possiamo permetterci di dare nulla per scontato, quando gli altri smettono di lavorare, è proprio quello il momento in cui noi siamo piú contenti di stare in studio a fare una cosa che amiamo fare. È il nostro modo per esprimere gratitudine a chi ci segue, a chi ci permette di fare una vita piena di forti emozioni e di privilegi.

E cosí è nato *Buon sangue*, un album molto importante per me, che ho amato moltissimo realizzare, e che ho realizzato grazie anche alle persone come Canova che non si sono perse d'animo mai, nemmeno per un secondo.

Certe volte arrivavo in studio alle otto e mezzo di mattina e lui era già lí che faceva esperimenti sulle canzoni, che spostava una strofa e cambiava un suono per spingere avanti il progetto.

Il sabato notte partivo da Milano guidando fino a casa a Cortona. Passavo la domenica con la mia famiglia, raccontavo alla Francesca le vicissitudini e le gioie, la mia intenzione di non mollare, di voler cambiare musica, di voler essere di nuovo al numero uno con un disco che mi facesse piacere ascoltare.

Quando sento un grandissimo feroce desiderio di cambiare tutto, di cambiare vita, di cambiare musica, di fare tutta un'altra cosa… avere una moglie che mi sostiene in questa voglia di montagne russe è una bella fortuna, lo ammetto, ne sono consapevole.

Poi la domenica sera ripartivo e il lunedí mattina ero di nuovo nel seminterrato in via Heine a Milano, nello studio di sei metri quadri di Michele che fumava tre pacchetti di sigarette al giorno e tirava giú moccoli da buon veneto che è solo grazie all'infinita bontà del padreterno se non lo ha fulminato in quelle settimane, e io che stavo seduto accanto a lui non avrei avuto una sorte migliore.

Quando faccio un disco con dei collaboratori quello che conta per me è che si crei un canale di comunicazione tra di noi che sia totalmente libero. Pretendo che ci si possa dir tutto e il contrario di tutto e che si sospenda il giudizio. Voglio che si possa lavorare per una settimana giorno e notte a un'idea e poi eventualmente buttarla via bevendoci sopra una birra. Cerco un clima di tensione emotiva e di concentrazione dove l'unica cosa che conta è la musica, noi dobbiamo scomparire, il famigerato ego deve diventare uno strumento per duellare in modo che prevalgano le idee migliori, sempre.

Saturnino è il musicista con il quale collaboro in modo costante da piú tempo, dal '90 a essere precisi. Stavo registrando *Una tribú che balla* a Milano e mi venne voglia di un assolo di basso elettrico su *Libera l'anima* che stava nascendo e il proprietario dell'*Avant Garde Studio* mi disse di un giovane bassista che era da poco arrivato in città e lui aveva il numero. Lo rintracciammo nella notte e si presentò quasi subito con il suo sei corde fretless, un basso di solito in dotazione a gente espertissima, e lui non era ancora esattamente un esperto, ma il fatto che si presentasse con uno strumento simile lasciava supporre che voleva fare sul serio.

Registrammo l'assolo al primo take e andava già bene, è quello che si sente nel disco.

Era fresco di provincia marchigiana con il dialetto tipico di quella parte d'Italia, che mette subito allegria e fa venire in mente le corti del '500. Aveva voglia di entrare presto nel giro dei milanesi. Con me ci impiegò meno di niente, io in quegli anni giravo molto la notte, e quasi sempre andavo a letto con il sole già alto. Diventammo culo e camicia, quello che è venuto fuori è un sodalizio fondato sull'amicizia e sulla passione per la musica. Saturnino ha una musicalità eccezionale, anche senza applicarsi molto allo studio dello strumento riesce sempre a essere appropriato sorprendente e creativo quando si tratta di mettere un basso o un altro strumento su una canzone e spesso il suo basso ha conferito a quella canzone un carattere. Per questo molte canzoni del mio repertorio portano anche la sua firma, perché c'è un suo apporto creativo. Abbiamo gusti musicali che si incontrano in un punto ma hanno anche zone che restano ben separate e questo è solo un bene, cosí resta sempre un filo di tensione emotiva tra di noi quando si suona. Saturnino con me dà il meglio di sé, perché io lo conosco bene e so che bisogna lasciarlo fare, sperimentare, bisogna dargli spazio ed entrare in relazione con il suo modo di suonare che non è mai da turnista affermato e un po' scafato ma sempre da Saturnino, uno che ha ricevuto in sorte dalla vita un nome che è tutto un programma.

Il suo apporto è stato ed è ancora oggi molto prezioso nei miei dischi, è un musicista come ce ne sono pochi al mondo. Poi sul palco è uno che ci sa stare proprio bene e quando si tratta di fare scena non ha rivali tra i musicisti italiani e se la gioca anche con molti internazionali, lui riesce a strappare applausi ovunque ne abbia l'intenzione. Negli anni le nostre vite hanno preso pieghe un po' diverse, io ho messo su famiglia, lui ha cambiato piú fidanzate che amplificatori e ogni volta con l'intenzione di farne una cosa seria quindi è chiaro che la parte dell'avventuriero della notte l'ho affidata a lui, ma quando si tratta di fare musica e quando capita di passare del tempo insieme si rinnova sempre la stima tra di noi e prima di tutto l'affetto come se fossimo due fratelli. Non è mai mancato nei passaggi importanti della mia vita di questi anni, i piú belli e quelli piú critici, e questo fa di lui un amico.

Mi ha suggerito il giro di basso di *Penso positivo*, di *L'ombelico del mondo*, e di *Io no*, un sacco di cose che sono diventate canzoni conosciute, anche il giro armonico di *Big Bang* è arrivato dalle sue mani e ancora oggi so che con lui in studio poi non si esce mai a mani vuote.

Lo studio di registrazione è, per me, la pancia della balena di Pinocchio, un'immagine che mi è cara e che mi viene spesso in mente. Vado in cerca di «pescicani» che mi mangino perché so che solo tro-

vandomi in un luogo che non ho costruito e riempito io posso trovare
qualcosa che mi appartiene per davvero.

Ho registrato in molti studi, ho registrato pezzi di musica con
il computer portatile, con il cellulare, con attrezzature amatoriali e
anche con le migliori attrezzature del mondo nei migliori studi del
mondo. Il primo studio dove ho registrato qualcosa, *Walking*, era di
Claudio Simonetti, il leader dei Goblin, che indossava giacche con
spalle larghissime, da supereroe giapponese, e che dieci anni prima era
stato il compositore della musica di *Gioca Jouer* di Cecchetto, ma io
l'ho scoperto quando conobbi Claudio e ne parlammo. Ecco quando
si dice le coincidenze. Si chiamava *Acquario Studios* e stava vicino a
ponte Milvio, molto prima dei lucchetti degli innamorati, quando era
piú che altro una zona famosa per la presenza di prostitute a tutte le
ore, anche di mattina.

Oggi i grandi studi di registrazione che hanno fatto la storia stanno
chiudendo e tutta la faccenda diventa mobile e leggera, molta della
musica migliore che esce oggi viene fatta con un laptop, e questo sta
aprendo una nuova frontiera.

Non sono un «feticista» delle macchine per la musica ma mi mette
una certa eccitazione trovarmi alle prese con la tecnologia piú avanzata
del momento o con strumenti d'epoca. Accarezzare un piano Rhodes
che è stato suonato da Stevie Wonder può farmi sentire al centro di
qualcosa e il mio spirito, come dire, si eleva.

Non ho mai voluto farmi uno studio coi controfiocchi, che mi to-
gliesse dalla necessità di dover andare altrove a lavorare proprio perché mi piace avere bisogno di andare altrove, e ovunque sia questo
altrove è un posto magico dove entrando sento tutti i sensi che si al-
lineano, come se si disponessero all'agguato. Ho uno studio in casa
ma è piú che altro una cantina attrezzata, un luogo di partenza, anche
se lí dentro sono nati gli embrioni di parecchie cose e ogni tanto mi

ci siedo da solo, a luci spente, e sono pervaso da un senso di cosmico benessere. *Gratitude.*

E poi però, *When You've Got So Much To Say*, voglio uscire, andare di fronte al pubblico per farmi mangiare. È sempre stato cosí, anche quando facevo solo il dj in un piccolo locale. Poteva capitare la sera in cui mettevo il pilota automatico ma la maggior parte delle volte puntavo a spaccare il mondo, a lasciare un segno forte, come cerco di fare ancora adesso.

Quasi tutte le cose che faccio nascono dal non saperle fare, posso dirlo. Ballo perché non so come si fa, canto perché non so cantare, faccio concerti per imparare a farli.

Quando ho visto Zoo TV Tour degli U2 al Forum di Milano, ancor prima che iniziasse quel concerto, era lí davanti a me il fatto che quella era una rivoluzione del linguaggio. Che roba incredibile, l'uso dei video, l'occupazione asimmetrica dello spazio, il gioco con i linguaggi dei diversi media e tutto questo che prende senso grazie a una band che spacca per davvero, una delle piú grandi di sempre.

Nella bellezza delle grandi produzioni e i baracconi giganteschi e impressionanti non devono mancare mai umanità e sudore. Può esserci uno schermo a led di trecento metri quadri e un volume da *Guerre stellari* ma se non c'è qualcuno artisticamente e umanamente generoso sul palco manca tutto.

Un concerto non è mai una passeggiata, quasi ogni sera un minuto prima di uscire sul palco una voce dentro mi domanda che ci faccio qui? *Gratitude.*

La prima volta che una musica mi ha emozionato alle lacrime non è molto originale, lo ammetto. Fu guardando il video di *We Are the World*, con tutte quelle star incredibili unite per una causa comune. Il punto in cui entra la voce di Michael Jackson sembra che si squarci il cielo e quando attacca il Boss appare il triangolo con l'occhio di dio.

Non è un vanto avere una natura che tende all'ecumenismo ma di fatto a me quando realtà diverse si armonizzano mi scatta qualcosa, vedo il mondo come piace a me.

Non avrei mai potuto prevedere, in quel momento, che un quarto di secolo dopo mi sarei trovato dalle parti di Hollywood, proprio dove hanno registrato *We Are the World*, a fare un mio disco, *Safari*, che abbiamo registrato nell'estate 2007, con l'intenzione di abbracciare piú gente possibile presentandoci con un disco dal suono corposo, in un certo senso classico, senza tempo.

Avevo in tasca delle canzoni che permettevano un approccio del genere. Pezzi basati piú sulla scrittura che sul sound: *Fango, A te, Come musica, Dove ho visto te, Mezzogiorno*, fatti per essere ascoltati, senza girarci troppo intorno.

Ho sempre scritto canzoni d'amore nei miei album, ma non avevo mai affrontato qualcosa come *A te*, che mi è arrivata cantando un testo che avevo scritto durante un viaggio in Messico su una musica che ho sentito a un saggio di violino di mia figlia. Era il celebre canone di Pachelbel, del '600, che è tutto su un giro di accordi che poi ha nutrito le canzoni pop dalla notte dei tempi. Quel giro di accordi l'ho fatto sentire a Franco Santarnecchi, il mio pianista, che lo ha ridotto all'osso e poi lui stesso ha trovato l'apertura armonica del ritornello e nel momento in cui l'ha suonata mi è venuta la melodia con le parole già comprese... «a te che sei» eccetera eccetera e ho sentito suonare le campane, non so se mi spiego.

Quella canzone è stata scritta come proposta di matrimonio, invece di inginocchiarmi con il mazzo di fiori o l'anello. È una delle canzoni che preferisco del mio repertorio, e la generosità della gente verso quella canzone me la fa amare ancora di piú. So che la usano anche ai matrimoni o in occasioni in cui serve sottolineare le emozioni con qualcosa di efficace e a me questa cosa va benone.

Di fatto è accaduto che le canzoni dove ho rivelato piú intimità sono diventate le piú pubbliche, e questo racconta molto di cos'è il mio mestiere.

La voce che c'è nel disco è la prima registrazione in assoluto, in pratica una prova microfono, ma c'è dentro un'emozione autentica e credo che parte dell'affetto nato intorno a questo pezzo sia dovuto a quel qualcosa che il registratore ha raccolto in quel momento. Era una sera di maggio 2007, anzi una notte, a Cortona, nel mio studio. L'ho cantata solo su un pianoforte synth e un metronomo. Intorno alla voce poi è stato fatto l'arrangiamento, messo il pianoforte vero, gli strumenti, l'orchestra di archi.

Il mio studio di casa l'ho chiamato Karakorum in ricordo di un viaggio in bici che ho fatto sull'Himalaya nell'anno in cui è stato costruito, non l'Himalaya, che già era lí, ma lo studio, nel 2000. È il mio laboratorio personale e ogni tanto lo riarredo seguendo il mio gusto di quel momento. Ultimamente lo abbiamo fatto un po' come se la Factory di Andy Warhol invece che a New York fosse a Lagos, Nigeria, anche se siamo a Cortona e intorno allo studio c'è una vigna di Sangiovese.

L'anno scorso ho comprato una foto di James Brown autografata da lui in persona con scritto «I feel good!» e sta appesa sopra al mixer cosí che lui mi guarda e controlla che si tenga fede a quella sua dichiarazione.

Ci lavoro con un dj engineer, Leo Fresco, che vive al di là della mia collina, a Città di Castello e l'ho preso con me dopo che mi aveva scritto una mail in cui si faceva avanti nel modo giusto. Lí dentro il volume è sempre al massimo, e se apro la finestra si sente la musica dei miei dischi che nascono e se c'è il vento a favore arriva fino alla Valdichiana.

Ogni tanto mi è capitato di affacciarmi dalla porta del mio studio, che punta verso ovest, e di percorrere tutto il pianeta col pensiero, arrivando al Tirreno, poi la Spagna, l'Atlantico, New York, le praterie, il Pacifico, l'Asia e avanti cosí fino a tornare in studio e cogliermi alle spalle.

Dopo un giro del genere dischi come *Safari* diventano una possibilità.

Il titolo *Safari* mi venne guardando il desktop del mio computer. Ero in internet e in alto a sinistra vidi scritto Safari. Pensai subito che fosse forte e spazzò via i titoli precedenti. Il titolo che avevo pensato all'inizio era *Musica per le feste* ma era solo un working title, non ho mai avuto seriamente l'intenzione di chiamarlo cosí. Poi si chiamò *Il gioco del mondo*, perché avevo letto il libro di Julio Cortázar mentre ero a Città del Messico per i fatti miei e mi aveva folgorato e volevo un disco che fosse come quel libro.

Mi piace fare canzoni che hanno il titolo di un libro che ho amato anche se col libro poi non c'entrano nulla. Mi è successo con *La linea d'ombra* e mi è successo di nuovo tre anni fa quando ho scritto *Terra degli uomini*, che è uno degli inediti di *Backup*. *Terra degli uomini* è un libro di Antoine de Saint-Exupéry, quello di *Il piccolo principe*, e questo suo strano e moderno racconto mi ricorda moltissimo mio fratello Umberto.

Il quinto mondo per un certo periodo si doveva chiamare *Vita morte e miracoli* poi venni a sapere che c'era già un album italiano con lo stesso titolo e lo cambiai in corsa senza troppa soddisfazione. I titoli dei miei album mi piacciono tutti tantissimo tranne *Il quinto mondo* che è un titolo cosí cosí. Ma anche *Vita morte e miracoli* a pensarci bene non era un granché.

Sto pensando ai titoli che non ho usato e molti non me li ricordo proprio, strano, perché per mesi interi giravano nella mia testa come certezze. *Una tribú che balla* doveva chiamarsi *Radio rap*, *Lorenzo 1992* e *Lorenzo 1994* no, quelli non hanno mai avuto alternative. *Capo Horn* è stato *Capo Horn* fin da subito, la canzone che porta questo titolo l'ho scritta alla fine delle registrazioni e sul disco c'è una versione non proprio completa. *Buon sangue* si doveva chiamare M.F.D.T. e meno male che non si è chiamato cosí, poi lo chiamai *10 e mezzo*, perché era il mio decimo album e mezzo e perché avevo l'età

in cui Fellini ha fatto *8 e mezzo* che è un film bello come la Giocon-
da. Invece scelsi *Buon sangue*, che è un signor titolo, forse tra tutti il
mio preferito. Ma anche *Ora* mi piace molto, e per un certo periodo
stava per chiamarsi *L'elemento umano*, poi *Megamix*, come del resto
mi piace molto il disco, anche se è un po' troppo recente per poterne
parlare come di qualcosa che esiste per davvero.

Jovanotti for president quando mi venne in mente mi feci i compli-
menti da solo, con un titolo del genere potevo anche non fare il disco, bastava il titolo a sfondare, sí sí è cosí.

In questi anni ho sviluppato due modi di fare i concerti: su pista e fuoristrada. Proprio come le gare di moto o di macchine. A me piacciono tutti e due i modi e li pratico entrambi, seddiovuole.

Quello su pista è il concerto che porto in genere nei palasport. Si costruisce uno spettacolo pensandolo valutandolo provandolo fino a che non è messo tutto a punto al massimo delle possibilità degli uomini e dei mezzi e poi si inizia a girare. Ogni sera lo stesso giro, con le traiettorie stabilite spinte al limite.

Detta cosí sembra una cosa ripetitiva ma provate a chiedere a Valentino Rossi se è ripetitivo girare per un miliardo di volte sempre lo stesso circuito, non so, al Mugello, e vi dirà che è il contrario esatto, è proprio lo stare sul limite dei centesimi di secondo che rende tutto eccitante.

Fare ogni sera la stessa scaletta con lo stesso palco le stesse luci e gli stessi passaggi non vuol dire fare lo stesso concerto, al contrario si tratta di stare sempre al limite e il pubblico se ne accorge e sente questa elettricità, proprio come su una pista da moto a 300 all'ora. Una sera provi a rallentare, a mettere il pilota automatico, e il castello crolla, scatta la noia, prima di tutto nel pubblico.

Poi c'è il concerto fuoristrada, quello in cui hai solo una moto e sai che dovrai arrivare da qualche parte ma non sai né dov'è né come ci arriverai. Quello è il tipo di concerto che facciamo nei club, specialmente durante i nostri tour in America, dove le dimensioni del mio successo non mi permettono grandi spazi da migliaia di perso-

ne. Questa limitazione la vivo come uno stimolo, mi piace tanto fare quei concerti, anche perché sono un vero e proprio allenamento e poi perché è il massimo poter fare questo e quello.

Nei club americani andiamo sul palco e chi s'è visto s'è visto, iniziamo a suonare con pochissime cose prestabilite, giusto qualche stacco musicale obbligato qua e là, per il resto è vera esplorazione.

Certi concerti hanno qualcosa. Io me ne accorgo già nel pomeriggio. Sento salire una cosa che arriva dai giorni prima e nel pomeriggio si intensifica e diventa una specie di torpore con indolenzimenti, nervosismi, assomiglio alle ragazze quando si avvicinano certi giorni. Mi fa male tutto e mi sembra impossibile, proprio impossibile che per le nove di quella stessa sera io sarò in grado di reggere il palco. Voglio scappare, annullare tutto.

Ecco, in genere quello è il segnale che sta per arrivare un concertone memorabile. Su quel palco ci lascio il cuore il fegato la cistifellea, mi spello mi dissanguo mi prosciugo e alla fine mi resta negli occhi un luccichio che dura per giorni. Ecco, a volte succede questo.

C'è anche una terza via ed è quella del dj set, che per me è sempre stato un vero e proprio concerto, espressione artistica senza niente da invidiare a nessun'altra. Oggi quasi tutti fanno i dj, è normale che sia cosí, ci sono anche dei software che permettono di farlo senza avere nozioni tecniche di nessun tipo, e poi fare il dj è per molti un modo semplice per mettersi al centro dell'attenzione e far vedere che si conoscono una decina di pezzi giusti.

Io sono nato dj e quella è una natura immutabile, non si scappa, quindi per quanto ogni cantante o musicista a un certo punto della sua vita possa improvvisarsi dj io lo sono sul serio. Un dj set vero è una cosa che ogni tanto ho fatto anche dopo che ho appeso il giradischi al chiodo. Ed è una cosa che non è detto che non faccia di nuovo in futuro, magari come un vero e proprio progetto artistico per girare il mondo.

Ho in mente una formula originale che potrebbe far impazzire tutti, prima o poi mi ci butto, magari sarà la prossima cosa che faccio.

Non so quanto il fisico mi reggerà ancora a fare dischi come se fossero spedizioni alla ricerca delle sorgenti dell'Urubamba ma fino a oggi è stato l'unico modo. Specialmente da *Una tribú che balla* in poi ogni disco è arrivato in fondo come se avessi in mente la costruzione del Taj Mahal senza averne il progetto prima.

Comunque mi tengo allenato e faccio stretching quasi tutti i giorni, che può tornare sempre utile.

Ora è iniziato come *Safari*, convocando i tre moschettieri nel Karakorum studio: Saturnino, Riccardo Onori e Franco per jammare per ore alla ricerca di qualcosa di buono.

C'è quella frase di Bono che spiega meglio di tutto cos'è fare un disco, per l'appunto lui parla di *Achtung Baby*, che, intendiamoci, non è un disco ma IL disco. Dice che si tratta di costruire una casa «from the sky down» ed è un'immagine perfetta. Costruire una casa partendo dal tetto invece che dalle fondamenta. È cosí, io non ho fatto *Achtung Baby*, ma la sensazione è quella.

Piú di un mese in studio da me e poi buttar via quasi tutto e ricominciare.

Partendo dal tetto. Dal desiderio di voler toccare il cielo stando con i piedi per terra.

Toccare il cielo per me voleva dire riuscire a non deludere e non deludermi dopo un album come *Safari*, che era stato al numero uno in classifica, come dire, per l'intero campionato e pure per la Champions League.

Il primo approccio è stato quello di partire da *Safari* e invece no, non funzionava, non avevo quelle canzoni, non servivano quegli arrangiamenti. Ci voleva un salto nel vuoto e il vuoto per me è sempre stata l'elettronica, i suoni di sintesi, generati dai computer.

Mi sono chiuso nello studio nuovissimo di Michele Canova e abbiamo ricominciato. Tenendo qualche idea di quelle nate nei mesi precedenti ma abbandonando ogni sonorità che facesse anche lontanamente pensare a *Safari*. Mi sono innamorato di nuovo di cose che fanno parte dei miei inizi: i sequencer, le batterie elettroniche, i software di programmazione musicale, e con Michele, che oltretutto è di una velocità supersonica alla guida di quelle macchine, abbiamo trasformato lo studio in un'astronave e siamo partiti per l'iperspazio tornando indietro con l'album finito.

Avevamo prenotato lo stesso studio di *Safari* a Hollywood, contattato musicisti di fama, addirittura un'orchestra di mariachi.

Poi una mattina pochi giorni prima di partire ho telefonato al mio manager e gli ho detto: Marco disdici tutto, paga le penali se ci sono, ma il disco lo faccio in un altro modo.

All'inizio della registrazione di *Ora* la mia mamma ha avuto un incidente in casa ed è stata operata alla testa e poi ricoverata a Siena in rianimazione. Dormiva, dormiva e dormiva aprendo gli occhi ogni tanto durante quelle giornate lente e io mio fratello Bernardo mia sorella Anna e il nostro babbo Mario ci eravamo messi d'accordo perché in quei rari momenti mai prevedibili trovasse sempre almeno uno di noi lí davanti.

Io facevo su e giú Milano Siena e passavo con lei piú tempo possibile, come tutti noi della famiglia. Ci avevano dato pochissime speranze ma lei era ancora lí con noi, e sorrideva a volte, diceva anche qualche parola a volte.

Era circondata da macchinari collegati a lei attraverso tubi e cavi e guardavo le gocce della flebo cadere lentamente in quel piccolo contenitore che regola il flusso. Era un ritmo lento, come il suo respiro, che era lo stesso di quando dopo pranzo e dopo aver lavato i piatti e messo a posto tutto si allungava una mezz'ora in poltrona e si addormentava mentre io facevo i compiti. Era sempre la mia mamma e quelle ore con lei sono entrate in quel disco che nel frattempo prendeva forma. C'è una somiglianza che prima di allora non avevo mai notato tra certi strumenti elettronici per fare musica e le macchine mediche, quelle che si usano nelle sale operatorie e di rianimazione. Ci pensavo quando rientravo in studio e ci pensavo quando ero lí con lei. Non si può separare la musica dalla vita, e la vita finisce nella musica comunque, anche se si fa finta di niente. *Ora* è il disco della mia mamma, e questo titolo *Ora* ha a che fare con quel respiro, lo so.

Ora in latino non vuol dire adesso.

(Un giorno però i mariachi li contattiamo di nuovo. Quella è una cosa che è rimasta fuori e che prima o poi bisogna tirar dentro.)

Quando è uscito *Tutto l'amore che ho*, il primo singolo di *Ora*, le radio sono impazzite per quella canzone, si è cominciata a sentire ovunque e ha aperto il cammino di un disco che mi ha avvicinato cosí tanto al respiro di tante persone che a volte mi sembra di avere qualche milione di cugini, di fratelli, di zii, di nonni e di nonne. E la cosa, quando accade, continua a farmi molto piacere.

Il mio Ora Tour stava andando benissimo, il mio tour di maggiore successo fino a quel momento. Avevamo appena suonato al Forum di Milano per la sesta volta nello stesso giro e non c'è stata città che non ci abbia accolto con un sold out. Uno spettacolo preparato con moltissima dedizione da parte di tutti, un grosso investimento in tecnologia idee persone, con una risposta del pubblico davvero generosa. Quella prima settimana di dicembre avevamo toccato un picco di adrenalina. Sei date a Roma, una partecipazione allo show televisivo di Fiorello che aveva funzionato benissimo, perché siamo amici e lui mi aveva accolto come un ospite davvero di riguardo, poi subito il Forum, come dicevo, fino al sabato. Domenica sono arrivato a Trieste nella notte da Milano. Lunedí mattina mi sono svegliato in hotel, tutto come sempre, la routine di ogni giorno di concerto, che al risveglio ci metto sempre un minuto a ricordarmi dove sono. Fuori pioveva forte e dalla mia camera vedevo un mare metallizzato con un cielo basso e nero. Pronto per un pranzo veloce e poi verso il palasport per il sound check. Mentre ordino un dolce ci arriva uno strano messaggio della produzione di non muoverci perché c'era stato un ritardo e ci avrebbero fatto sapere. Strano, un ritardo a quell'ora. Allora sono entrato in un sito di news dal mio cellulare per passare un po' il tempo e la prima notizia diceva crolla il palco di Jovanotti a Trieste otto feriti. Sono andato subito al palasport e mi sono trovato davanti a quella scena che è rimasta stampata in me senza possibilità di essere mai piú cancellata o addolcita o anche semplicemente collocata in un senso.

In quel momento non si poteva nemmeno ragionare, c'erano dei feriti tra i tecnici del tour ed era morto un ragazzo, Francesco Pinna, assunto dalla cooperativa del Nordest che funziona da supporto locale allo scarico e carico dei materiali. Aveva solo 19 anni ed era la seconda volta in vita sua che faceva quel lavoro a giornata.

Sono successi tanti incidenti nel nostro campo, in passato e purtroppo capitano anche adesso, ma viverlo da dentro è una cosa che non avevo messo in conto. Vedere entrare la morte in un palasport dove si allestisce una festa è una tragedia moltiplicata. Una famiglia che si vede morire un figlio uscito al mattino di casa per andare a lavorare c'entra davvero poco con la musica. È un ambito dove ci sono rischi, si tratta comunque di un cantiere, ma sono rischi calcolati che in genere riguardano quelli che si arrampicano lassú in alto o quelli che trafficano con i cavi elettrici, mentre Francesco stava spingendo un baule e non se n'è nemmeno accorto che stava crollando un palazzo di acciaio e alluminio che regge tonnellate di luci e di casse audio. Non doveva accadere.

Quello che è stata per me questa tragedia e come l'ho vissuta io non ha davvero nessuna importanza perché quando succede l'irreparabile è irreparabile e basta, si ferma il mondo.

Nelle ore successive ci fu un tentativo feroce da parte di alcuni giornalisti di montare una questione sulla possibilità che ci fosse del lavoro sottopagato in ballo e il mio nome faceva gola a quel tipo di sciacallo mediatico ma era un contratto regolare, che però non cambia di una virgola il peso di quella perdita. Se Francesco avesse guadagnato come un pilota di Formula Uno la sua morte non sarebbe stata meno dolorosa.

Ho pensato di smettere, ho pensato di fare concerti solo con una chitarra senza utilizzare piú strutture impegnative, ho pensato di chiedere scusa a tutti, anche se io non ho nulla a che fare con la parte produttiva di un tour mi sono sentito tutto il carico simbolico di quell'incidente. Ho pensato anche di aver gioito troppo per il successo di quel tour e di essermi cosí attirato qualche anatema, sono pensieri che si fanno. Ho avuto vergogna a uscire di casa e ad andare al bar o a prendere il giornale o mia figlia a scuola.

Ho conosciuto la famiglia di Francesco. Mi hanno abbracciato come uno di casa e di questo gli sarò per sempre riconoscente. Non era dovuto e nemmeno scontato.

Ho voluto conoscere i lavoratori della cooperativa di cui faceva parte. Ho riunito la mia gente e ci siamo parlati. Gente che di mestiere fa concerti e tournée, e che non sa fare altro ma soprattutto non vuole fare altro, perché comunque il nostro è un lavoro che muove un'economia ma ancora di piú porta allegria, emozione, calore, vitalità. Siamo ripartiti dopo due mesi di stop e abbiamo ripreso a suonare in giro, senza far finta di niente però, perché se è vero che un giornale il giorno dopo serve per incartare le uova, le cose che ti succedono direttamente cambiano la vita.

Dopo vedi diverso.

Il viaggio non finisce mai. […]
Bisogna vedere quel che non si è visto,
vedere di nuovo quel che si è già visto,
vedere in primavera quel che si è visto in estate,
vedere di giorno quel che si è visto di notte,
con il sole dove la prima volta pioveva,
vedere le messi verdi, il frutto maturo,
la pietra che ha cambiato posto, l'ombra che non c'era.
Bisogna ritornare sui passi già dati,
per ripeterli, e per tracciarvi a fianco nuovi cammini.

JOSÉ SARAMAGO, *Viaggio in Portogallo*

Ho partecipato da poco a un tributo a Big Luciano Pavarotti. Se c'è una cosa del mio nome d'arte che mi piace sempre è che fa rima con Pavarotti. A volte questa rima me la sono giocata con il pubblico di paesi lontani rappando versi come «I am Lorenzo a.k.a. Jovanotti I am grooving like James Brown I sing like Pavarotti».

Ho goduto dell'affetto del maestro Pavarotti e di questa cosa ne faccio un punto d'orgoglio. Quando mangio un pezzo di parmigiano penso a lui, so che non è un'immagine proprio, come dire, elegante e trionfale, ma Pavarotti era cosí, era nutriente, umanamente. Uno cui cadevano doni di tasca in un modo che sembrava del tutto naturale, perfino la sua grandezza. Riusciva a farti credere che quella voce che aveva fosse come il colore sulle ali dei pappagalli brasiliani, una cosa per la quale il pappagallo non ha fatto nulla. E invece quella voce era tanto naturale quanto il frutto di una dedizione assoluta alla disciplina dell'arte.

Passavi del tempo con lui e il giorno dopo potevi correre una maratona a piedi scalzi.

Tra le molte «fotografie» di questi anni quelle con Pava sono tra le piú importanti, perché è stato un uragano di genio e talento ma anche solo perché è uno che della vita non si è fatto scappare neanche una briciola e averci avuto a che fare la dice lunga sul fatto che tutto può succedere. Proprio tutto, quando si lasciano le porte aperte. Possono entrare i ladri, certo, e svaligiarti la casa, ma può passare lí davanti un Pavarotti e decidere di entrare a sentire cos'è quella strana musica che esce e magari invitarti a salire su un palco con lui.

Ho scritto anche una canzone chiamata *La porta è aperta* perché quando ho vissuto il passaggio dalle porte aperte alle doppie mandate di serratura è stato un piccolo trauma infantile che ancora cerco di elaborare. La casa dei miei nonni a Cortona aveva sempre il portone aperto, quando eravamo piccoli, e anche a casa mia a Roma, al primo piano di via Porta Cavalleggeri 107, palazzo del Vaticano dove eravamo in affitto, la porta era giusto per dire che lí iniziava una casa ma di sicuro non era un deterrente per chi avesse deciso di entrare. Poi i tempi sono cambiati ma si sa che il mondo che uno vede da bambino resta quello al quale ci si riferisce per sempre.

Lo stare sulla porta è una cosa tipica del mio paese: l'Italia. Sarebbe un peccato perdere questa attitudine tipica della nostra gente, anche solo metaforicamente. Girando per le piccole città del Sud si vedono ancora persone che stanno sulla porta, magari seduti sugli scalini o su una sedia.

Ogni tanto mi capita, quando sono in giro, quando mi allontano un po', di sentire la voce della mia mamma che mi chiama da quella porta, a lei basta sentirmi rispondere per sapere che va tutto bene. Va tutto bene.

Da piccolo mi chiamava «fischino» perché quando tornavo da scuola salivo le scale e iniziavo a fischiare. Lei pensava che lo facessi perché ero allegro ma io lo facevo prima di tutto perché fosse allegra lei, nel sentirmi.

La merica! La merica!

Adesso sto passando con la mia famiglia e due cani ex randagi un intero inverno a New York. New York mi piace, ma a chi non piace New York? Sono arrivato con un visto 01, quello che concedono agli artisti per un periodo limitato, me l'hanno dato perché una etichetta indie mi ha fatto un contratto per un disco con l'opzione per altri due. È iniziato tutto qualche anno fa dopo un concerto fatto a NY con la mia band alla fine del tour italiano, quasi come una vacanza premio. Mi sono sentito attratto da una certa idea.

Quella sera di quel concerto arrivai fino al locale con la metropolitana, poi a piedi. Entrai dal retro dicendo a uno che lavorava lí che ero il cantante. Avevo uno zainetto sulle spalle con dentro dei fogli con quei testi che non imparerò mai a memoria e una camicia pulita prevedendo che avrei infradiciato di sudore quella che avevo addosso. Il club era zeppo di gente, la comunità italiana di New York e qualche curioso, fu divertente ma non finí tutto cosí. Uscendo a piedi dall'Highline Ballroom, si chiama cosí quel posto nel quartiere di Chelsea, mi fermai in uno di quei diner aperti 24 ore e mi presi una birra, e la mente vagava e faceva strani giri. Stavo vivendo una cosa che non mi accadeva da almeno 24 anni, stavo ricongiungendomi con uno spirito e una condizione simile a quella di prima di avere il mio primo pezzo in classifica in Italia, la sensazione di essere lí per la musica e nient'altro, confuso tra i milioni di Manhattan ma con un obiettivo unico nel cuore. Quella sensazione non potevo lasciarla lí in quel diner alle due di notte, dovevo farne qualcosa. Cosí, con l'entusiasmo di Francesca e il pallino organizzativo del mio manager Marco Sorrentino è nato un progetto, una pazzia vista da fuori e spesso anche da dentro. Sviluppare una carriera in quel paese enorme, già

saturo di musica di personaggi e di idee. Come aprire una piccola gelateria nella banchisa polare. Ma credetemi anche quella della gelateria al Polo Nord può essere una grande avventura vissuta dal punto di vista del gelataio e non è detto che qualche eschimese non si faccia vivo dopo un po'. Ed è proprio cosí che sta andando.

A forza di organizzare questi arrembaggi nei locali americani la cosa si è fatta seria e ora siamo qua, per un anno, a darci da fare senza nessuna garanzia finale, inseguendo una sensazione, cercando di scovare la musica ovunque si trovi. Sono già in grado di vedere un film in inglese senza sottotitoli e di capire l'80 per cento o quasi delle battute. E poi New York è la città piú città al mondo, se pure sono tante le città che ho nel cuore, New York le racchiude un po' tutte, è una città potente e carismatica, dove hai sempre l'impressione che succedano delle cose, e non è poco.

New York è una città feroce, la piú feroce, perché se non hai un tuo percorso piuttosto disciplinato lei avrà il sopravvento su di te e può anche schiacciarti triturarti ridurti in poltiglia sputarti su qualche marciapiede sfinito e da ricostruire e non è detto che poi uno non si ritrovi con i piedi al posto delle braccia e la faccia rivolta verso la schiena, come in quel girone dell'inferno di Dante, quello dove finiscono coloro che sono stati troppo intenti a prevedere il futuro.

Qui imparo delle cose, mi confronto con situazioni nuove, mi diverto molto e mi stanco, mi procuro delle afte in bocca che significa che lo stress è in azione, e lo stress può essere alleato delle buone idee che stanno prendendo forma.

Faccio esperimenti in piccoli laboratori un po' nascosti, me ne sto fuori dall'occhio del ciclone per sviluppare le mie cose e quando torno in Italia è una gioia triplicata, quadruplicata, moltiplicata, è come tornare allenatissimi per un grande campionato.

Come dice la poesia di Nietzsche «E chi un giorno dovrà scagliare il fulmine | dovrà per molto tempo restar nube». Ecco, appunto, in America per ora faccio la nube, ma sono già carico di pioggia e di elettricità.

Ora devo chiudere queste pagine che ho scritto, e che considero una prima stesura di qualcosa che non è per niente concluso. Neanche questi miei primi 25 anni di dischi sono conclusi, ancora mi bollono dentro, a pensarci bene.

Sono appena tornato dal concertone di Campovolo, per raccogliere fondi per le zone terremotate dell'Emilia. È stata una delle botte di adrenalina piú forti che ho avuto in vita mia. Vedi come vanno le cose? Uno pensa di aver toccato un picco di emozione e ne arriva un altro inaspettato, come nelle montagne russe della miglior tradizione. Ho duettato con colleghi che stimo rispetto e ammiro, vedi un po' te, sono cose che non capitano tutti i giorni. Ho fatto una versione di *Amico* di Renato Zero arrangiata a modo mio ma cantata con lui, e provata una sola volta. Pazzesco quanto mi sono sentito in connessione con il dio di tutte le cose visibili e invisibili in quei quattro minuti. L'Italia è piena di grandissimi artisti. Ieri Renato mi ha mandato un sms che dice «se solo noi italiani avessimo consapevolezza delle nostre risorse… la merkel andrebbe a vendere merluzzi in normandia!» e ha ragione alla grande, a parte che vendere merluzzi in Normandia coi tempi che corrono non sarebbe neanche male, ci vuole di saper fare anche quello.

È una fortuna essere italiani.

L'Italia è un paese pieno di generosità, trabocca di generosità. Ne ho avuto un'altra conferma lampante l'altra sera, ci posso mettere la firma. Peccato vederla raccontare sempre e solo nei suoi aspetti piú meschini, che ci sono, ma non sono gli unici, e non sono i piú rilevanti.

Ho affinità immediata con la gente che brucia di passione per quello che fa. Per esempio uno come Giuliano Sangiorgi dei Negramaro.

Giuliano è uno che dietro a una canzone può perderci il sonno saltare i pasti e fare il giro del mondo su una gamba sola, a inseguire un brivido, uno squarcio tra lo scorrere della vita e qualcosa che non si sa cos'è e che sta dietro alle cose e la musica riesce a portare alla luce.

Mi capita ultimamente di diventare amico di colleghi che quando io ho iniziato a fare dischi non erano nemmeno nati o erano abbastanza piccoli da aver beccato l'onda dei miei primi pezzi quasi come se fosse la prima musica della loro vita. Trovarmi a condividere un palco con gente che ha vent'anni meno di me, un bel pezzo di tempo, e scoprire che vent'anni non sono niente misurati con il tempo della musica, e forse non sono niente nemmeno duecento anni, a pensarci bene. Con Giuliano o anche con Cesare Cremonini, un altro grande autore di canzoni, non dobbiamo dirci nulla, c'è un'elettricità che scorre tra di noi. Sappiamo da dove veniamo e pur non sapendo dove andare è chiaro che si va dove ci porta la musica, ed è bello quando si fa un pezzo di strada insieme.

Ho passato da poco una giornata in uno studio fotografico a lavorare con Maurizio Cattelan, il piú grande degli artisti italiani nel mondo (non musicali, insomma s'è capito) e Pierpaolo Ferrari, un fotografo dallo scatto d'oro. Con loro avevo già lavorato e da una session di due anni fa era nata la copertina di *Ora*. È stato bello tornare sul luogo del delitto a produrre immagini. Adesso non ho una ma TRE copertine per il mio *Backup*, e sono al settimo cielo. Hanno a che fare con i tre colori primari, giallo, blu, rosso. Le guardo e mi sembra che questi 25 anni di musica io li abbia fatti per avere queste tre immagini, che hanno dentro un'energia che se ci avvicini il telefonino ti si ricarica. Essere visto da una coppia come Cattelan/Ferrari è come negli anni '60 o '70 finire sotto l'occhio di Andy Warhol, non so se mi spiego, gente che sa il fatto suo, gente che anche solo passarci una giornata a vederli all'opera capisci quanto lavoro, quanta vita ci può essere dietro una cosa che poi alla fine apparirà semplicissima, come se fosse sempre stata lí.

Tanto che all'inizio ho scritto che questa raccolta non la volevo fare e adesso invece, alla fine del lavoro che ha portato a questa raccolta sono davvero contento di aver fatto il mio *Backup*. È stato come fare un disco nuovo ma anche di piú, è stato come rifare tutto per la prima volta, ritrovando intatto, e perfino aumentato, l'entusiasmo dei miei inizi.

Ho riascoltato i miei dischi, per bene, come se li avesse fatti un altro, e mi sono piaciuti, sí, mi sono piaciuti, alcuni mi sono piaciuti tantissimo anche se ci ho trovato molti difetti, alcuni sono cosí difettosi da essere perfetti cosí come sono, direi. I prossimi li farò ancora piú perfetti. (Parola di lupetto. Perfetto.)

Non si finisce mai di imparare. Pensavo che il passato mi annoias-
se e invece il passato può rivelarsi la cosa piú nuova che ti può capitare. Trovare in una stanza che pensavi di conoscere alla perfezione
una porta nuova che si apre su una storia nuova.

Questa raccolta arriva al momento giusto, piú avanti credo che non
avrebbe avuto senso. Arriva proprio giusto a chiudere una trilogia (*Buon
sangue*, *Safari* e *Ora*), un quarto di secolo, e a lanciare uno sguardo verso
il futuro. Sono le mie nozze d'argento con il fare dischi, concerti eccetera eccetera. Mi sono impegnato a realizzare qualche canzone nuova
che però considero ancora nell'atmosfera della trilogia powerpop dei
miei ultimi tre dischi. Questa raccolta con 25 anni di canzoni è il mio
modo per dire cosa intendo per POP.
   Il futuro io non lo conosco.
   Sono diventato famoso nel mio paese che ero un ragazzino o poco
piú. Ho cercato, e non so se ci sono riuscito, di sviluppare la capacità
di guardare anche mentre tutti guardavano me, e questa la considero
una vera sfida. Non so se è una sfida vinta, ma di sicuro ha generato
una bella energia in me.
   Ho la fortuna di pensare istintivamente bene delle cose, fino al limite estremo in cui a volte ho dovuto ricredermi. Raramente, meno
male. Gli stronzi esistono, ma sono in minoranza, e non prevarranno.
   Ci sono quelli che pensano male di tutto. Quelli che nell'85 davanti a Live Aid dissero che era solo una gran messa in scena, quelli che
se incarcerano Nelson Mandela pensano che in fondo se l'era cercata.
In 25 anni ho incontrato gente che ha gridato al miracolo per dischi
che facevano letteralmente e chiaramente schifo solo perché questo li
faceva sentire dalla parte giusta, la loro, quella delle cose che non in-
granano mai.

Io ho cercato di mettermi in contatto con chi avevo di fronte. Ho
cercato di capire che lingua parlava la popolazione del luogo dove mi
ero paracadutato e ho cercato di parlare usando la loro lingua per dire le cose che avevo da dire io.

Ecco dunque due generi di persone:
quelle che accettano la felicità
e quelle che hanno paura della felicità.
Disney fu tra i primi a sfidare l'idea che dovremmo aver paura
    della felicità.
Al contrario: dobbiamo abbracciarla e farle festa.

RAY BRADBURY, *Disneyland, ossia il demone disneyano per la felicità*

Avrei una lista di ringraziamenti davvero molto lunga e di sicuro mi dimenticherei qualcuno di fondamentale. La sensazione di gratitudine è una di quelle che provo piú frequentemente. Combatto il risentimento, quando affiora in me, perché lo considero un sentimento che fa solo male e non serve a niente. La gratitudine invece la lascio fluire, quando arriva, mi ci faccio il bagno. Sono grato a chi mi ha aiutato, e sono davvero in tanti. Nutro la speranza profonda che aiutandomi abbiano ricevuto in cambio qualcosa che non avrebbero trovato altrimenti.

Nella mia lista di ringraziamenti c'è la mia gente, che va da quelli che mi conoscono come le proprie tasche fino al popolo dei miei concerti e dei miei dischi, che mi conosce comunque, perché nelle mie canzoni ci sono io, in carne e ossa.

Respect! come dicono gli mc dell'hip hop.

Potrei dedicarvi la poesia piú corta di tutti i tempi. È di Muhammad Ali, il campione. Un giorno si trovava a una conferenza e un ragazzo gli chiese «Ali, recitaci una poesia». Lui si fermò, pensò per un secondo e declamò:

ME... WE.

Nella mia lista di ringraziamenti ci sono molti musicisti, tipi da studio di registrazione e da concerti, che hanno collaborato alle mie canzoni. Ho una grande ammirazione per i musicisti, i suonatori di strumenti, quelli che hanno «studiato». La mia è un'ammirazione di stampo antico simile a quella del contadino per l'avvocato o per il medico, che sa cose che lui non sa. Ho sempre cercato di avere a che fare con i piú bravi in circolazione e che avessero apertura mentale, che capissero la storia.

Perché io ho una teoria che non metterà tutti d'accordo ma la dico lo stesso: se non ti piace la mia roba non sei uno in gamba. Solo le persone sveglie intelligenti ironiche aperte possono sentire quello che c'è nella roba che esce dalle mie parti, gli altri no, non c'è storia. È una legge cosmica. Come la forza di gravità.

E quello che ho da dire è quello che ho detto fin qui, che in estrema sintesi è qualcosa come: vivere, vivere, vivere.

Backup, questa raccolta di canzoni di 25 anni di carriera, è un trampolino di lancio.

C'è un nome nuovo in città, e sono sempre io.

Grazie ragazzi.

ME... WE.

Riccione, novembre 2012.

Quando ero bambino il mio babbo portava a casa «La Settimana Enigmistica». Lui faceva i cruciverba difficili, quelli nelle ultime pagine. La mia mamma quelli di mezzo, che sono piú facili. Ma lei li faceva guardando la tv. Era multitasking, come sono le mamme.
I miei fratelli facevano il resto, i rebus, gli enigmi polizieschi, scopri le differenze...
Io chiedevo solo che mi lasciassero fare quello dei puntini.
Quello era il mio gioco.
Quello spettava a me.
Unisci i puntini dall'1 al 67.
Ogni settimana.
Due minuti.
Era una sicurezza.
Uscivano le figure.
Una giraffa.
Un surfista sulle onde.
Un ballerino di tango.
La vita scorreva.
Ero un bambino a Roma.
Erano gli anni '70.
Poi li chiamarono gli anni di piombo.
Ma io univo i puntini dall'1 al 67 e vedevo comparire un razzo stratosferico lanciato verso gli anni '80.

Arrivarono gli anni '80.
Mi innamorai della musica.
La Nazionale vinse i mondiali di Spagna.
C'era allegria.
Mi diplomai.

Iniziai a lavorare di notte come dj.

Andai a Milano a lavorare alla tv.

Uscí il mio primo disco.

Cadde il muro di Berlino.

La vita scorreva.

E intanto io avevo smesso di unire i puntini dall'1 al 67, ma partivo da un numero a caso e cercavo di comporre le figure senza seguire una regola.

Partivo dal 33.

Al 7.

Al 21.

Usciva fuori di tutto.

Magari un fiore.

Cominciai ad accettare il fatto che per comporre delle figure sensate qualche puntino rimanesse fuori dal disegno.

Lí da solo.

Escluso.

Peccato.

Ma la vita andava e io andavo con lei.

Arrivarono gli anni '90.

C'era un sacco di musica.

E un sacco di vita.

Inventarono internet.

La rete.

Proprio su internet un giorno ascoltai un discorso di Steve Jobs agli studenti dell'università nel quale dice: «Volete un consiglio da me? Unite i puntini». *Connect the dots.*

Pensa te!, pensai.

Pensa un po', Steve!

Proprio quello che mi piaceva fare da bambino!

E riflettevo sul fatto che nelle generazioni precedenti alla nostra si nasceva e unire i puntini era piú semplice.

Ognuno sapeva piú o meno cosa doveva fare nella vita.
I puntini erano uno in fila all'altro.
Strade di lampioni dritte.
Al massimo con qualche curva.

Ora non piú.
Noi abbiamo a che fare con costellazioni di puntini.
E nessuno che ci dica
Dov'è l'1, dove sta il 2.
E dov'è il 67.
Dobbiamo cavarcela da soli.

Perché vi ho raccontato questa storia?
Perché in sere come questa
Smetto di unire i puntini.
Non sto cercando di sapere quale figura potrà uscire fuori.
Potrebbe essere una sirena.
Una donna nuda.
Un granchio.
Un cavallo.
Una moto da cross.
Un'*Annunciazione*.
Un computer acceso.
Un passeggino.
Un giradischi.

Le figure possibili sono infinite
Quando abbiamo una costellazione come quella di stasera.
Posso decidere semplicemente di guardare i puntini.
Posso decidere quello che ho appena deciso qui insieme a voi.
Che siete dei puntini... Come lo sono io per voi...
Posso decidere
Di guardarli senza volerli unire.
Cosí come sono.
Una costellazione.

Una galassia.
Un universo.
Una notte piena di stelle.
Ogni stella una vita.
Che non rimarrà fuori da nessun disegno.
Perché non c'è nessun disegno.
Ci sono tutti i disegni possibili.
Un numero infinito.
E se, unendo i puntini, un disegno non va bene non preoccupatevi.
Le stelle resteranno lí per sempre.
E si può sempre cambiare idea.
Iniziare un disegno nuovo.
Ogni giorno.
Ogni notte.
Sempre.

Dal tour #lorenzoneglistadi 2013.

Prima liceo scientifico. Una mattina passa in classe un professore di un'altra sezione: «Sono il prof Bruschi, vorrei organizzare un seminario di teatro futurista tre pomeriggi a settimana qui a scuola. Se c'è qualcuno di voi che è interessato, ecco, questo è il foglio, basta scriverci il proprio nome. È gratis, il preside mi ha garantito che se metto insieme una decina di studenti si può fare».

Premetto che non sapevo che cosa fosse il futurismo e che non avevo mai messo piede in un teatro. A quell'epoca, a scuola, non si faceva nemmeno la recita di fine anno alle elementari. La mia esperienza nel mondo dello spettacolo era però totale: il mondo per me era uno spettacolo, da sempre, e non distinguevo la finzione dalla realtà. Non davo giudizi sulle cose, bello, brutto, questo sí, questo no, prendevo quello che veniva come veniva (e tutto sommato ho continuato a farlo).

Quando i miei litigavano in casa – lo facevano spesso – avevo imparato a cercare un punto di vista il piú possibile distaccato, come se io fossi uno spettatore di qualcosa che forse non era vero o forse lo era. Ogni tanto, la notte, mi alzavo dal letto per andare a controllare che mia madre respirasse, la guardavo mentre dormiva nella penombra creata dalla luce nel corridoio che portava alla camera dei miei. Cercavo un dietro le quinte della sua vita, nella quale la bellezza, il dolore, la frustrazione, la rabbia, l'allegria, l'amore, il rifiuto, la malattia e il senso del dovere erano scritti tutti insieme un po' alla rinfusa. In quel silenzio notturno si riconquistava una pace che era quasi un annuncio di eternità. Volevo garantirmi che quella fosse vita e che – anche senza aver consultato *Amleto* – dormire non fosse morire. Mio padre aveva il sonno pesante e russava forte, mentre la mamma dormiva di un sonno immobile, quasi senza respiro. Non sapevo che prendeva un sonnifero (anche se in cucina c'era uno scaffale con una scatola piena di blister) e da quando l'ho saputo ho paura di qualsiasi pillola che non sia l'aspirina (ma solo proprio quando serve), che preferisco effervescente perché confina con la gazzosa.

A scuola, insomma, scrissi il mio nome su quel foglio, l'unico della classe. La scuola era grande, il Malpighi di Roma, si raggiunse il numero di dieci. Il seminario iniziò due settimane dopo e quella fu la mia prima esperienza su un palcoscenico. È stata bellissima, e piú della messa in scena mi è piaciuta la preparazione. Tanto che alla fine del corso mi misi in testa di entrare nel laboratorio che Gigi Proietti aveva appena aperto a Roma. Ne avevo sentito parlare in televisione.

Non se ne fece niente: per entrarci bisognava avere diciott'anni e io a diciott'anni ero ormai diventato un dj professionista. Tempo fa ho incontrato Proietti, gliel'ho raccontato e lui ha sorriso: sono belli questi grandi personaggi che aprono scuole per insegnare la loro arte, una bottega come nei tempi antichi, dove trasmettere conoscenze, tramandare maestria. Piccole realtà, perché se si è piú di dieci non si impara nulla. Per certe cose ci vuole il rapporto diretto, occhi negli occhi.

Il teatro futurista era perfetto per me, non c'erano di mezzo trama, drammaturgia, tutte quelle cose che mi avrebbero fatto desistere. Era musica, gesto, ritmo, cadenza, postura, proprio quello che faceva per me, niente piangere e niente ridere, il corpo-macchina che genera scintille, zampilla. Il corpo-fontana, la parola-suono, lo spazio come foglio bianco. Nessuna verità, nessuna finzione, come nello sport, dove se togli lo scopo del gesto rimane la dinamica. E la dinamica mi prende, a me succede cosí.

Faccio un salto di piú di trent'anni e sono sul palco di San Siro, davanti a 60000 persone, luglio 2013. Per arrivare fin qui c'è stato piú o meno un anno durante il quale non ho pensato ad altro, tanto da rischiare di essere cacciato di casa piú volte. Una di queste volte ho anche pensato che sarebbe accaduto per davvero, che stava per accadere. Mi spiego: ogni tanto la Francesca, mia moglie, con il tono a volte molto serio, a volte incazzato, altre afflitto, altre imbestialito, altre volte ancora ostentando una certa freddezza, mi prende da parte e mi dice (urla) cose tremende, tipo che lei se ne va o me ne devo andare io perché sono una merda, perché sono egoista, egocentrico, autoriferito, menefreghista, disattento, distante, distratto, musone, disordinato, irrispettoso, tutte cose vere in parte o del tutto, evidentemente, questo non vuole essere un *mea culpa*, e infatti noterete il tono ironico e amorevole con il quale sto scrivendo questa lunga frase che ora ha bisogno di un punto. Comunque io la ascolto, senza controbattere, al massimo facendo di no con la testa come a dire: no, guarda amore, non è cosí. E in parte è anche vero che non è cosí, perché io, penso tra me e me, sono un ARTISTA (un pernacchione giunge dal cielo, lo sto sentendo...) E agli artisti tutti quei difetti che lei elenca sono concessi, giusto? Ma credetemi, con tutta la buona volontà, in quei casi ha quasi sempre ragione lei. Il fatto è che lei mi ama, e io la amo, e alla fine della sfuriata in genere c'è un riavvicinamento e un mio ravvedimento temporaneo, come la regolazione del minimo di certe auto da corsa, che si sa, vanno sempre tenute sotto controllo perché mantengano certe prestazioni su pista.

Una o due delle sue ramanzine durante la lavorazione di questo tour sono state, però, molto molto molto serie, e l'ultima è stata dannatamente seria, tanto che mi sono visto fuori di casa, ho visualizzato la scena di me in un triste residence con serigrafie astratte alle pareti, a evitare sguardi e a non rispondere agli sms. E come sempre ho capito che è vero, ha ragione lei, do per scontate cose che poi, appena lei mi fa immaginare senza, mi manca il respiro, porco cane. Ma che ci volete fare, io da quel seminario non mi sono piú ripreso ed è proprio cosí, l'idea di fare un tour mi cattura le energie e l'idea di fare QUESTO TOUR, negli stadi di fronte a una quantità inaudita di persone, è stato un pensiero fisso, e il rischio di non trovare il capo della matassa e di portare in scena un malloppone stucchevole era in agguato e lo è stato per diversi mesi.

Salgo sul palco con la voglia di far star bene la gente, di farla divertire, di infondere coraggio e vitalità. Divertimento e intensità, due cose che si pensano molto poco compatibili, e che invece sono proprio il succo della faccenda se si vuole fare un bello spettacolo di rock'n'roll. Certe volte ascolto il nuovo papa, Bergoglio Francesco Francisco Francis (Sinatra) o leggo di lui ciò che riportano i giornali e mi dico che se non fosse il pontefice gli telefonerei per chiedergli di collaborare ai miei testi. L'altro giorno per esempio ha detto in un'omelia, quella che da piccolo mi hanno insegnato a chiamare la predica, che ci vuole gioia e ci vuole coraggio, gioia e coraggio. Le ha dette in quest'ordine preciso: Gioia e Coraggio.

Va detto che io sono un pessimo cattolico, sta scritto anche in una mia canzone che conoscono in pochi: «Professo Dio se sono in mezzo agli atei. Se son tra i preti mi invento miscredente». Mi succede cosí: appena qualcuno mi dice sei dei nostri vieni con noi, mi viene da dire no grazie, tutto a posto ma meglio di no, non fa per me. Mi capita in tutte le cose, è una forma di individualismo grezzo, solipsismo da discoteca, ma credo sia alla base del lavoro che faccio, che tende alla libertà, prima ancora che alla Libertà. Gioia e Coraggio, ecco due parole che ha detto il papa e che – mi perdonino in Vaticano – sono la sostanza stessa della mia maniera di costruire uno spettacolo.

Vivo a Cortona e nella nostra biblioteca è conservata una copia manoscritta del *Laudario di Cortona*, una delle primissime partiture musicali che esistano al mondo, del '300. Mio fratello Umberto, che invece era un cristiano vero, il piú bel cattolico che abbia mai conosciuto, adorava quella collezione di canti e in qualche modo li ha trasmessi a me bambino. Dovete sapere che le canzoni che si ascoltano nell'infanzia sono quelle che davvero conteranno nella vita. Non quelle che poi sceglierai di ascoltare, ma quelle che ascolti prima di sapere che si tratta di musica.

Il concetto della *Laude* è radicato dentro di me con una certa forza, come quelle piante che crescono tra le pietre delle mura antiche della mia città, che uno non le nota perché guarda il muro e vede un muro, ma loro stanno lí, e quando arriva la stagione fioriscono. Lodare il creato è un esercizio a volte frustrante ma è quello che va fatto, io la penso cosí, va fatto con tutte le forze. Dovesse restare anche un solo insulso motivo di lode, su quel motivo bisogna costruirci concerti, canzoni, lavori, progetti, partiti politici, avventure, ricerche.

Una volta mi fecero una domanda su san Francesco d'Assisi (avete presente il *Cantico delle creature*, capolavoro pop di ogni epoca), e mi uscí una cosa che non avevo pensato, come succede spesso con le cose, le migliori e le peggiori che escono dalla mia bocca. Dissi qualcosa come: «Si parla sempre di san Francesco per la sua fissa di esaltare la povertà, ma secondo me la sua vera invenzione è la gioia, che viene prima della povertà, prima di tutto. Anzi, senza gioia la povertà e la ricchezza sono condizioni identiche e ugualmente vuote e tristi». La gioia è necessaria, è un imperativo categorico, specialmente in tempi difficili.

Il concerto è il momento in cui incontro persone che sono venute lí a passare una notte speciale. E voglio che lo sia veramente, io devo essere lí per loro, completamente per loro, per ognuno di loro. Questa è la mia vocazione e il mio impegno, la mia gioia e la mia fissazione, e vorrei che tutti lasciassero lo stadio con una bella sensazione nel cuore, con piú energia di quando sono entrati, e con l'idea, anzi, l'esperienza che ognuno è importante. Lavoro per questo.

Ci vuole la giusta leggerezza, la rapidità, l'esattezza, la visibilità, la molteplicità (i punti delle *Lezioni americane* di Italo Calvino vanno bene anche per il concerto, che in fondo non è che un racconto) e poi ci vuole l'intensità. La quale, però, è sempre una risultante, non può essere mai un presupposto. Non bisogna pensarci quando si è sul palco ma bisogna averci pensato prima. Quando si suona, si suona e bisogna lasciarsi andare per davvero, bisogna goderselo lo spettacolo, esserci al 100 per cento. Divertirsi. Non si tratta di occupare uno spazio ma di essere quello spazio.

Una volta sono stato a Epidauro, dove è conservato un grande anfiteatro antico, ero lí da solo e ho vissuto una specie di epifania. Ho avuto un'esperienza ravvicinata con la divinità e nonostante io pratichi il cosiddetto (e benedetto) pop, ho sentito di appartenere alla schiera di esseri umani che stanno lí dove si scatena la danza, dove la parola è prima di tutto suono, dove la gente si raduna per guardare se stessa in uno specchio che riflette la parte viva, quella che rigenera e cura e lascia indietro la zavorra, i pensieri che ostacolano il fluire della vita. Mi rendo conto che questa cosa può far incazzare qualcuno, specialmente quelli che vivono e si nutrono sempre e solo di commenti. Sono i «commentatori», e con i social network questa è un po' l'epoca segnata dal loro dilagare, di quelli che non vivono ma guardano vivere, quelli che non producono esperienza ma commentano le esperienze altrui. Niente da ridire, ma a riguardo mi viene sempre in mente un verso di una canzone di Ferretti e CSI: «Comodo ma come dire poca soddisfazione». Quelli che hanno sempre un'opinione su tutto.

Io che non ho un'opinione su quasi nulla posso capire il loro disappunto nel vedere una storia come questa, ma è proprio questo ciò che cerco, la distanza dalle opinioni, dal commento a un commento. Cerco l'esperienza e cerco la poesia delle cose ma non sono interessato al giudizio e nemmeno alla ragione, è la vita che mi attrae e non la sua correttezza o la sua giustificazione, che tra l'altro non c'è. Mi piace partecipare alla costruzione di un circo che è un'industria, un'impresa, un bilancio, una macchina ingegneristica ma solo in quanto alla base di tutto c'è qualcosa di incalcolabile, un dono, qualcosa che è di piú, che non può essere misurato, valutato, giudicato. Non l'estetica ma l'energetica. Non il contenuto (che è una palla!) ma la forma, che è il vero contenuto.

Un tour è una cosa che gira, che si muove, che passa di città in città, di mano in mano, di vita in vita, ed è questo che mi piace, che mi interessa. Quello che mette in moto, quello che fa rimbalzare tra cielo e terra. Per arrivare sul punto del palco dal quale faccio il mio ingresso in scena c'è una lunga scala di alluminio traballante. La percorro fino a un telo nero che devo aprire a un segnale che mi arriva alle cuffie e devo mettermi nel punto esatto dove la telecamera zoomerà sulla mia faccia per l'effetto Sergio Leone. Ogni sera salendo quella scala tutto il mio essere si allinea come se prendesse la mira, e quando esco sul palco e vedo quel mare di facce allegre e cariche di fronte a me, mi arriva addosso una forza che potrebbe far volare un rinoceronte in aria come una farfalla.

Non è una questione di ego, come molti pensano, non si tratta di un pompaggio dell'ego a livelli estremi, ma al contrario si tratta di farlo fuori questo benedetto ego, di essere lí al servizio della musica, della festa, del pubblico, della band, delle luci, del racconto.

I vecchi saggi dicono che per cercare il sacro Graal la prima cosa da fare è ammazzare l'ego. Non la metterei giú cosí dura, si tratta di rock'n'roll, ma un po' di sacro Graal va tenuto in considerazione, comunque. Il rock, il pop, chiamatelo come volete, insomma questa cosa qua, evoca e mette in campo forze ragguardevoli nonostante sia *entertainment*. È una cosa semplice, ma non cosí semplice, dice un mio amico che se ne intende. C'è di mezzo anche l'amore, che come tutti sanno è quanto di piú umano esista al mondo. E proprio per questo se ne fraintende la potenza, e spesso lo si considera come piú ci fa comodo considerarlo.

Non lo so, alla fine di ogni frase mi viene da dire non lo so, perché davvero non lo so e proprio perché non lo so mi piace starci dentro, forse se avessi la sensazione di sapere qualcosa me lo lascerei alle spalle.

Ho fatto interviste prima e durante il tour e una domanda c'è sempre stata: che Italia vedi girando il Paese con il tour? Se chiedete a uno sciatore che Italia vede, lui risponde innevata, con salite e discese, fredda, scivolosa, la mia. Io non posso fare altro che rispondere che vedo un'Italia festosa, allegra, danzante, libera, giovane, varia, divertita, energica, sorridente, rumorosa, unita, unificata, unificante. E 'sticazzi, può commentare qualcuno, e avrebbe la sua parte di ragione, ma è un fatto che queste cose che io vedo esistono, e questa Italia che io vedo, cosí come quella tutta bianca dello sciatore, esiste davvero, è una dorsale ritmica che percorre lo Stivale da nord a sud e si accende ai miei concerti come un neon che riceve l'impulso elettrico e fa brillare il gas che contiene al suo interno. Una delle ragioni per cui credo nel mio lavoro e nel ruolo della musica popolare fatta con cura e dedizione è che serve celebrarsi. Non in modo meccanico, ideologico e nemmeno identitario, serve celebrare e quindi celebrarsi, perché è una maniera per raccogliere le forze, per guardarsi, per scoprire in se stessi qualcosa che la musica (e quello che la musica porta in scena) può far emergere. Un concerto fatto tanto per fare non fa accendere nulla, anzi fa male, come un prete che fa omelie pallose o un medico che ti prescrive un antibiotico ad ampio spettro senza nemmeno ascoltare dove ti fa male.

Una cosa ho imparato dal mio vecchio: il senso dello spettacolo. Per quanto lui non abbia mai calcato un palcoscenico in vita sua, io da lui ho appreso una certa relazione tra dietro le quinte e ribalta, tra compulsività e gestione delle emozioni, tra istinto e ragione, e anche se tutto questo è avvenuto involontariamente da parte di entrambi, è comunque avvenuto, e tra genitori e figli la volontarietà non è cosí fondamentale. Lo sanno tutti che dai genitori si assorbe specialmente quello che loro non dicono o non mostrano di sé. Il mio babbo non è stato uno sponsor delle mie passioni, ma il modo con cui ha agito verso le mie passioni ha avuto un effetto molto piú potente che se le avesse sostenute, se mi avesse spronato a seguirle. Oggi il suo orgoglio nei miei confronti quando vede uno stadio pieno di gente allegra è una ricompensa per lui e ancora di piú lo è per me. Poteva andare diversamente e invece è andata cosí, e io sono contento di fare un lavoro che adoro, e di farlo con l'intenzione di difenderlo da ogni smontatore di entusiasmo mi capiti tra i piedi. Non ho mai fatto nulla per dimostrare qualcosa a qualcuno, nemmeno al mio babbo o alla mia mamma, ma per farli contenti sí, direi che per farli contenti ho fatto tutto quello che ho fatto, perché ho sempre pensato che la costruzione dell'allegria fosse la chiave di tutto. Se deve essere spettacolo, che sia spettacolo che fa stare bene la gente, che sani qualche ferita, che affronti il dolore con una danza sfrenata, con un volume pazzesco, se deve essere una stella che sia una cometa, che costringa al movimento dello sguardo.

Quando vedo la gente contenta sono nel mio centro. Non mi viene facile pensare a una folla come a un soggetto singolare. Anche quando capita, come è capitato in questo tour, di avere di fronte un mare di gente.

Ho tenuto fuori dallo stadio le chiacchiere, ho lasciato fuori dallo spettacolo la politica, l'indignazione, i «contenuti sociali», la denuncia, la riflessione sui temi di attualità, le richieste di firme, gli appelli, l'invito alla ragionevolezza o alla rivoluzione, l'informazione e tutta quella roba di certo interessante e importante (e anche buona per un titolo su un giornale il giorno dopo). L'ho fatto apposta. Volevo che lo spettacolo fosse un'allegoria vera e propria, una celebrazione, un racconto. Ecco, un racconto, semplicemente un racconto, che ti facesse dimenticare tutto il resto per creare uno spazio di intimità assoluta, anche se tutto ciò avveniva dentro a uno stadio di calcio. Nel mondo delle opinioni, volevo che il mio spettacolo non fosse un'opinione ma un racconto senza giudizio, una frontiera epica nella modernità. E che ci si divertisse, si ballasse, ci si emozionasse.

Lo struggimento, la goduria, la meraviglia, la tecnologia, lo spirito, l'eros, la dimenticanza, la speranza, la rabbia, l'aggressione, la dolcezza, la risolutezza, il gioco, ridere, lasciarsi andare, perdere il controllo, urlare, cantare. Ecco, l'entusiasmo. Fare il pieno di entusiasmo. Questo.

Una cosa che tutti mi facevano notare durante il tour, come se io non lo vedessi (ma in effetti loro lo vedevano meglio) è la natura pazzamente varia del pubblico dei miei concerti. Me la raccontavano come se avessero visto qualcosa di eccezionale, e in effetti è qualcosa di eccezionale, ma non per me, perché io sono in totale sintonia con quello stato di cose, potrei dire che io sono cosí, incarno quella varietà e non lo dico per vantarmi, a volte questo può essere un problema, e a volte lo è stato ma è chiaro che è pure bello. Ai miei concerti potete incontrare ragazzi che domattina hanno la maturità o un esame di università, appassionati di acquari, restauratori di mobili, ingegneri, stilisti, operai metalmeccanici, pescatori, donne incinte, estetiste, professoresse di italiano, insegnanti di pilates, gente a dieta, persone che non hanno mai contato le calorie in vita loro, soldati in licenza, sostenitori di organizzazioni pacifiste, nonne, nonni, nipoti di ogni declinazione e grado, genitori, figli, fidanzati, aspiranti fidanzati, musicisti, programmatori di software, creativi, sgrammaticati, gente che scrive «apposto» intendendo «a posto», gente che corregge chi sbaglia l'ortografia in un sms o in un post, individui che posseggono una Fiat o una Smart o una Hyundai o una Focus o una Opel o una Ferrari o niente, persone che attaccano le orecchie di peluche al casco, elettori dell'intero arco costituzionale, viaggiatori che si informano su tutto, saccopelisti, ricercatori nell'ambito delle particelle elementari, operatori ecologici, spazzini, scrittori, gente dello spettacolo, vip, culturisti, diplomati in composizione e in pianoforte, fumatori abituali meno abituali saltuari e non fumatori, consumatori di farmaci da banco, olistici, vegetariani, conoscitori a memoria dei nomi di tutte le capitali, lettori di classici, giocatori di basket, tifosi di calcio, gente che del mio repertorio ama soltanto i lenti, alcuni che invece pensano che la mia roba migliore sia quella piú rap, ragazzini che pensano che *Ora* sia il mio primo album, quelli che l'elettronica è fredda, quelli che... Quelli che come me pensano che quel pezzo di Jannacci fosse un capolavoro... Intendo *Quelli che...*

L'altra notte ho suonato a Cortona, nella piazza del mio paese, davanti a un Mississippi di gente, molte facce conosciute, oltre ai viandanti, tanti, arrivati per l'occasione. A un certo punto di quel concerto improvvisato, senza nessuna tecnologia di luci e video, su un palco piccolo da festival di provincia, dopo aver suonato una sequenza micidiale Tensione/Positivo che ha fatto impazzire tutti (gente alla finestra che per poco non si butta giú dall'allegria e io li avrei presi al volo, garantito), dopo quella sequenza «rave» abbiamo attaccato *Un raggio di sole* che è un pezzo pop fatto su un giro di do, lo stesso giro armonico di *Sapore di sale*, per intenderci, solo piú veloce e in 4/4. Dentro quella canzone ho pensato: «Ora so cosa significa essere Gianni Morandi». Ecco cosa ho pensato. Mi guardavo intorno e godevo e vedevo tutti che cantavano e la mia band sorridente e fluida nell'esecuzione e io sono andato a pensare a Gianni Morandi, che è uno dei sopravvissuti di un Paese in cui la musica era la migliore espressione di una comunità, dei suoi desideri soprattutto.

Ogni concerto dare tutto. Non è un modo di dire, intendo proprio tutto, morirci su quel palco, rinascerci casomai, ma che lo show sia estremo. Definitivo. Non sono mai stato un patito dei famosi *aftershows*, a me piace lo show e non voglio neanche mettere in conto che ci sarà un dopo, che ci sarà un altro concerto domani o chissà quando. Conta solo questo concerto, nel quale metterci dentro tutto, darsi completamente, offrirsi in pasto. Cosa gli dico io a questi ragazzi che vengono a sentirmi e si rimpallano tra le mani desideri non messi a fuoco, incertezza, scoraggiamento, che guardano i loro genitori e i loro genitori non possono dirgli guarda che mondo bello che ti abbiamo preparato, adesso vai è il tuo momento? Cosa gli dico? A che cosa posso servirgli? A confermarli nelle loro illusioni che nemmeno hanno più? A coccolarli per una notte accarezzandoli? Mandando loro dei baci? Ballando per loro come una scimmia nemmeno ammaestrata? Queste sono le domande che mi faccio prima e dopo un concerto e che per fortuna dimentico durante lo show, per liquefarmi dentro a qualcosa che è più grande di tutto questo e molto più misterioso. La risposta non ce l'ho ma la domanda rimane e ora che per un po' non suonerò e resterò al buio ci lavorerò sopra, per la prossima volta, per quando arriverà.

Cortona, agosto 2013.

Levate l'ancora
diritta avanti tutta questa è la rotta questa è la direzione
questa è la decisione.